Zeit ist Leben.
Und das Leben wohnt im Herzen.

MICHAEL ENDE

Inhalt

Vorwort

Das Neugeborene beginnt das Leben mit Tun. Noch vor allem anderen handelt das Baby, indem es um Hilfe schreit. Dann erst fängt es an, die Welt zu entdecken. Nach dem ersten Schrei, dem ersten Ausdruck von Hilfsbedürftigkeit, tastet es aktiv die Umgebung ab und sucht nach der Brust der Mutter. Von diesem Moment an wird das Baby die Welt um sich herum ertasten und erfühlen, um Liebe, Geborgenheit, Wissen und Sinn zu suchen und zu finden. Schauen wird zum Sehen und Hören zum Hinhören und dann zum Verstehen. Das Empfinden wird so zur Wahrnehmung, zum aktiven bewussten oder unbewussten Erleben. Was bedeutet, dass nach der Geburt das »Betasten« der Welt mit allen Sinnen ein Leben lang weitergeht. Neugier und Entdeckungsdrang führen dann auf natürlichem Weg zum Wissen.

Genau das ist, wie in diesem Buch von Frau Dr. Margret Arnold dargestellt, das natürliche Experimentierfeld des Lebens. Nur so wird aus einem tief erlebenden Kind ein sozialer, produktiver Erwachsener. Es ist ein langer Prozess, in dem die natürlichen Reflexe zu einem ständigen Kreislauf von Fühlen und Handeln werden. Gleichzeitig entwickelt sich konzentrisch der Zyklus der Emotionen im inneren Gehirn, der es dem Kind ermöglicht, sich durch Zuneigung und

»E-motion« (Herausbewegen) in die Welt anderer einzufühlen. Um das Kind stärker mit der Umwelt zu verbinden, entwickelt sich über allem der Wahrnehmungs-Handlungs-Kreislauf (»Perception-Action Cycle«). Der Kreislauf geht vom Kortex aus und kommt wieder zu ihm zurück: der posteriore (hintere) Kortex mit seinem Gedächtnis für Wahrnehmungen und der frontale (vordere) Kortex mit dem »exekutiven« Gedächtnis, dem »Gedächtnis für das Handeln«. Diesen Prozess unterstützt der präfrontale Kortex, die »Vorhut« der Evolution und der Hirnentwicklung. Auf diese Weise macht er den Kreislauf des Kindes bereit für die Zukunft. Damit erschließt er dem Kind die Wunderwelt der Fantasie, der Erfindung und der Kreativität.

Im Kreislauf des lernenden Kindes, wie auch des auf ein Ziel ausgerichteten Erwachsenen, beginnt Handlung irgendwo im emotionalen Gehirn, im Kortex oder in der Umwelt. Wahrgenommene äußere Reize informieren das exekutive Gedächtnis im posterioren Kortex, das dann eine Handlung hervorbringt, die wiederum Veränderungen in der Umwelt bewirkt. Dies geht immer so weiter, bis ein Ziel oder eine Belohnung erreicht ist.

Die Aufgabe des Lehrers ist äußerst wichtig. Er schließt den Zyklus des Lernens in der Umwelt.

1. Er entzündet und fördert das natürliche Potenzial des Kindes, zu entdecken und zu erforschen.
2. Er gibt dem Kind ständig Feedback und bietet Verbesserungsmöglichkeiten an.
3. Er gibt dem Kind menschliche Anreize durch Ermunterung, Lob und Belohnung, wenn es eine Aufgabe gut gemeistert hat.

Diese menschlichen Anreize und Kontakte können von keiner noch so gut durchdachten Maschine ersetzt werden. Nur durch diese wird das Kind zu einem sozial Lernenden.

Die 12 Prinzipien von Renate und Geoffrey Caine dienen Dr. Arnold als Wegweiser, um uns in einem faszinierenden Kaleidoskop zu zeigen, was Liebe und natürlicher Umgang für die Gehirnentwicklung eines Kindes vollbringen können. In diesem Kaleidoskop, das voll ist mit tiefen persönlichen Erfahrungen, begegnen Sie einer Pädagogik, die im Sinne von Pestalozzi und Goethe von einem bezaubernden Hauch von romantischem Naturalismus durchweht wird. Dies steht gleichzeitig in der Tradition des großen Physiologen Hermann von Helmholtz, der uns gelehrt hat, dass die Wahrnehmung aktiv von innen nach außen dringt.

Wir erinnern uns nicht nur an das, was wir wahrnehmen, sondern wir nehmen auch wahr, an was wir uns erinnern.

Joaquin Fuster
Neurobiologist University of California, Los Angeles

Leben ist das, was es ist.

ANTOINE DE SAINT-EXUPÉRY

Vom Erleben zur Forschung

Nach dem Gewitter

Das Haus, in dem wir wohnen, steht im Allgäu auf einem bebauten Hügel an der höchsten Stelle. Hinter dem Haus beginnt der Wald. Vor dem Haus das Alpenpanorama vom Grünten bis in die Oberstdorfer Berge bis zum Nebelhorn. Jeden Tag sehe ich die Berge in einem anderen Licht. Ich liebe die geheimnisvollen Stimmungen, die Wolken, Licht und Luft hervorzaubern.

Besonders deutlich wird dies nach einem Gewitter. Die erste dunkle Wolkenfront verzieht sich und luftigere, weiße Wolkenschichten kommen nach. Das Grollen des Donners wird zu einem leisen Prasseln und dann zu einem sachten Tropfen. Zum Teil hängen die Wolken noch schwer in den Bergen. Vereinzelt gibt es noch kleine Regenschleier. Langsam lichten auch sie sich. Ich kann die Veränderungen von Sekunde zu Sekunde vom Haus aus beobachten. An manchen Stellen scheint sogar die Sonne wieder durch, dann sehen ihre Strahlen wie kleine Scheinwerferkegel auf den Wiesen aus. Das Gras verstärkt die Wirkung des Lichts zu einem

Leuchten. Überall kleine geheimnisvoll leuchtende Sonnen-
flecken. Auf der Wiese liegt ein feiner feenhafter Schimmer,
verstärkt durch den Dampf und die Wassertropfen überall.
Als ich genauer hinsehe, bemerke ich die wunderschön auf-
gereihten Tropfen an den Gräsern. Wie von einer Last befreit, heben sich die Blätter wieder und der Wald atmet auf.
Überall tropft und dampft es. Das Atmen fällt mir in der
feuchten Luft schwer.

Es ist, als ob die Natur aus einem tiefen Schlaf erwacht.
Durch einen einzigen heftigen Gewitterregen verändert sich
die ganze Landschaft, man möchte fast meinen, das ganze
Leben. Alles ist frisch und neu. Wenn die Sonne wieder
scheint, ist das Leben wie neu. Ich empfinde eine starke
Sehnsucht nach unverbrauchtem und neu geordnetem Leben. Die Landschaft wird zu einer Seelenlandschaft. Es
fühlt sich wie eine Veränderung an, die ich selbst einmal erlebt habe.

»Geheimnisse des Gehirns«

Ist es möglich, dass einen Menschen eine einzige Frage das
ganze Leben verfolgt? Schon als Kind habe ich danach gesucht: Wie geschieht es, dass solch tiefe Erlebnisse, wie nach
einem Gewitter in den Bergen, im Gedächtnis bleiben und
ein Leben lang erinnert werden können?

An einem Abend, ich war zwölf, blieb ich länger auf als
sonst. Ich schaltete durch die Fernsehprogramme, bis ich beim
Bayerischen Rundfunk an einer Sendung hängen blieb. Die
Sendung »Geheimnisse des Gehirns« zeigte die damals mit
neuen bildgebenden Verfahren gewonnenen revolutionären

Erkenntnisse über die Zusammenhänge im Gehirn. Wenn im Gehirn zwei Neuronen eine Verknüpfung herstellen, dann verändern sich die Verknüpfungen im gesamten Gehirn. *Es ist, als ob das ganze Gehirn aufleuchten würde.* Dies ist mir heute noch tief im Gedächtnis, als ob es gestern wäre.

Als ich dies sah, wurde mir klar: Das ist es ja, wonach ich gesucht habe: An tiefen Erlebnissen sind ganz viele Einzelerlebnisse aus verschiedenen Gehirnbereichen beteiligt:

- Bewegungen: das Zittern der Blätter im Regen, das Aufrichten der Gräser und der Äste nach dem Regen, das Ziehen der Wolken, das Gehen durch eine regennasse Wiese;
- Körperempfindungen: Regentropfen auf der Haut;
- emotionale Stimmungen: Das Sichlichten der Wolken hat für mich etwas mit Aufwachen, Ahnen und Sehnsucht nach einem freieren Leben zu tun;
- Beziehungen: Die Zeit nach dem Gewitter verbinde ich mit Versöhnung und Neuanfang;
- alle Sinne: Ich höre das Prasseln des Regens, ich rieche die Frische der Luft, ich spüre die Kühle der Luft auf der Haut;
- Sprache: Ich erzähle davon;
- Fragen: Gibt es wohl einen Regenbogen?;
- Assoziationen: Ich erinnere mich an Bilder meines Lieblingskünstlers Friedrich Hechelmann von Gewitterstimmungen im Allgäu;
- räumliches Vorstellungsvermögen: Ich sehe in die Wolken und erkenne in Licht und Schatten abenteuerliche Formen;
- schon erworbenes Wissen: Ich weiß, wie physikalisch Blitz und Donner entstehen;
- mathematisches Verständnis: Verhältnis von Sonne und Wolken, die Menge des Regens;

- Erinnerungen: Viele schöne Ausflüge in die Berge, einmal mit drohendem Gewitter in den Bergen;
- Kindheitserlebnisse: Ich erinnere mich an meinen Vater, als Kind haben wir bei Gewitter immer auf der Terrasse gesessen und Blitz und Donner beobachtet. So habe ich allmählich die Angst davor überwunden;
- Ziele, Pläne, Sehnsüchte: Wie kann ich die Tiefe und Fülle und Schönheit, die ich hier erlebe, einmal anderen zeigen?

Komplexe neuronale Netzwerke

In jeder Sekunde unseres Lebens werden durch tiefes Erleben und Lernen alle diese Einzelwahrnehmungen im Gehirn zu einem komplexen neuronalen Netzwerk verbunden und geordnet. Dies bestätigt auch die Studie von Jan Gläscher und Ralph Adolphs, California Institute of Technology (Caltech) in Pasadena, in der Fachzeitschrift »Proceedings of the National Academy of Sciences« (Februar 2010). Intelligenz hängt davon ab, wie effizient die einzelnen Gehirnbereiche untereinander kommunizieren. Ralph Adolphs habe ich persönlich kennengelernt. Er hat mich am Institut von António Damasio in Iowa City betreut. Mit ihm habe ich oft über die Organisation des Denkens und Lernens im Gehirn gesprochen. Auf die Forschungsreisen gehe ich später noch genauer ein.

Die Gewitterstimmung, die ich eingangs beschrieben habe, wird also von unterschiedlichen Gehirnbereichen erzeugt. Aber im Gehirn bleiben nicht die Details hängen, sondern es entsteht aus den vielen Dingen, die ich wahrnehme, ein tiefes *Erlebnis* – Gewitterstimmung in den Bergen.

Erst wenn ich dem, was ich sehe, innerlich eine Bedeutung gebe, wird es im Geist lebendig. Die eigentliche Landschaft wird in neuronalen Karten oder Netzwerken identisch, wie ich es erlebe, abgebildet, eine Seelenlandschaft entsteht. Sie zeigt mir, wie das Leben eigentlich ist, tief und wunderschön. Sie wird zu einer Erinnerung, die mir immer zur Verfügung steht und die das ganze Leben lang weiter, vielfältiger und wahrhafter wird. Ich muss mich nur darauf einlassen. Leben bedeutet, sich durch tiefe Erfahrungen ganz und gar verändern zu lassen. Leben heißt, von einer Erfahrung zur nächsten zu wandeln und sich immer wieder zu verändern. Dann erst werden Leben und Lernen zu einer spannenden Herausforderung.

Lernen heißt erleben

Grundlegend für das Verständnis des Gehirns ist: Jede Information, sei sie abstrakt oder konkret, wird genauso wie bei einem tiefen Erlebnis verarbeitet. Es gibt keine andere Verarbeitung. Leben ist Lernen, Lernen ist Leben. Erst wenn wir richtig erleben, lernen wir. Erst wenn das Lernen in ein tiefes vielfältiges Erlebnis eingebunden ist, wird es zu einer Erfahrung, die bleibt, die uns weiterforschen lässt.

Lernen macht frei

Ein solches Lernen habe ich als Kind jahrelang erlebt. Einmal besuchten meine Mutter und ich die Ausstellung über Tutanchamun im Haus der Kunst in München. Die Ausstellungshalle war ganz dunkel, nur die Schreine mit den wunderschönen, winzig kleinen Exponaten waren erleuchtet. Das Gold und das Blau kamen so besonders zur Geltung. An diesem Tag gehen wir ganz langsam durch die Ausstellung und achten nur auf die Schönheiten, das strahlende Gold, das tiefe Blau, die Eleganz und Einfachheit der menschlichen Formen. Immer wieder sagen wir einander, was wir empfinden. Durch besondere Gesten, kurze Blicke und einfache Hinweise meiner Mutter spüre ich, welche Schätze hier gezeigt werden. Dann sehe ich es auch. Ich bekomme allmählich eine Ahnung, wie die Menschen in Ägypten leben, wie sie sich schmücken, an was sie glauben und wie sie den einfachen Glauben in Kunst ausdrücken. Dies geht weit über die wissenschaftlichen Fakten und Jahreszahlen, die auf Tafeln vermerkt sind, hinaus. Plötzlich verbindet sich das, was wir in der Ausstellung sehen, mit unserem eigenen Glauben an das Leben und an die Schönheit und besonders mit dem Glauben, dass das Leben einen tiefen Sinn hat. Danach sprechen wir einfach darüber, wie schön das Leben ist. Wir haben verstanden, was die Kunstwerke aussagen und verbinden es mit unserem Gefühl für das Leben und mit dem, was wir miteinander erlebt haben. Darüber sprechen wir dann. In diesem Moment spüre ich: Lernen ist, etwas mit dem eigenen Gefühl zu verbinden. Lernen mit meiner Mutter zusammen entspringt einer tiefen Sehnsucht nach Ferne und dem innigen Wunsch, sich ständig weiterzuentwickeln. Danach hatte ich einfach Lust auf das Leben. Was das bedeutet, habe ich erst später erkannt.

Intuitiv aber habe ich damals schon gespürt, dass bei einem so tiefen persönlichen Lernen viel mehr im Gehirn abläuft als bei dem Lernen einzelner Informationen oder Fakten. Dies wollte ich genauer erforschen.

Aus Ahnung wird Forschung

Durch all dies angeregt, schossen mir viele Fragen durch den Kopf:

- Welche unterschiedlichen Bereiche gibt es im Gehirn?
- Welche Aufgaben haben sie?
- Wie stellen sie Verbindungen zueinander her?
- Wie werden aus Erlebnissen Erinnerungen?
- Welche Bereiche sind am alltäglichen Denken und Lernen beteiligt?
- Wie denken und lernen Menschen »natürlich«?
- Wie kann ich später als Lehrerin den Unterricht so gestalten, dass er zu einem tiefen Erlebnis wird?

Diese Fragen suchte ich wissenschaftlich zu beantworten. Innerlich hatte ich immer diese wunderschönen Erfahrungen mit meiner Mutter vor Augen, wie schön Lernen sein kann.

Nach dem Lehramtsstudium für Hauptschule an der Universität Augsburg hatte ich 1998 die Gelegenheit, zu erforschen, was ich innerlich schon erahnt hatte. Daraufhin gestaltete ich die Forschungen für die Doktorarbeit so, wie ich mir lebendiges Lernen immer gewünscht habe.

Mein Berater, Professor Wiater, Professor für Schulpädagogik an der Universität Augsburg, sagte nur: »Finden Sie heraus, wie im Gehirn Emotionen auf Lernprozesse einwirken. Ich will die neuesten Forschungsergebnisse aus den USA.«

Mit seinem Konzept von »situativem Unterricht« hatte er in mir das Interesse dafür geweckt, wie sich Erlebnisse im Unterricht wachrufen und für das Lernen nutzen lassen.

Einfach ausgedrückt geht es darum, dass Schüler durch ein Erlebnis in der Schule zu tieferem Fragen und Forschen angeregt werden. Zum Beispiel kann man die Schüler anregen, mehr über den Blutkreislauf zu lernen, wenn sie ihr Lernen mit einem bestimmten Erlebnis verbinden können, etwa wenn sich einer von ihnen auf dem Schulhof gerade verletzt hat. Es hat mir sofort eingeleuchtet, und ich beschloss, diese Einsicht auf wissenschaftlich fundierte Füße zu stellen.

Recherchen in Oxford

Um die Forschungslandschaft der Neurowissenschaften genauer kennenzulernen, wählte ich Oxford aus. Ich wohnte einen Monat lang wie ein »Alumnus« am traditionsreichen St. John's College im Zentrum von Oxford. Von dort aus hatte ich, es waren Semesterferien, Zugang zu den meisten Forschungsbibliotheken, auch zur Bodleian Library. Im Perpendicular Style gebaut, ist sie die schönste Bibliothek Oxfords. Ich nutzte die Gelegenheit, mir auch die wunderschönen Innenhöfe und die Chapels der Colleges anzusehen. Während ich durch die Innenhöfe und Gärten spazierte, dachte ich immer wieder, wie in dieser wunderbaren Umgebung das Gehirn zu Höchstleistungen angeregt wird. Auch fragte ich mich immer wieder: Was ist echte Bildung? Was ist Intelligenz? Wie entstehen geistige Prozesse?

Eine Antwort auf diese Fragen zu finden bedeutet am Anfang harte Arbeit. Ich studierte die anatomischen Details des Gehirns. Dazu gehört, wie Neuronen aufgebaut sind, was genau an den Synapsen abläuft, welche Neurotransmitter wichtig sind, welche unterschiedlichen Gehirnbereiche es gibt, welche Aufgaben sie haben, wie sie untereinander Verbindungen eingehen, wie Körper und Gehirn verbunden sind.

Emotionen im Gehirn

Vor allem aber interessierte mich, wie Emotionen im Gehirn wirken und wie sie mit Denken und Lernen zusammenhängen. Damit beschäftigt sich besonders António Damasio. In seinen Büchern, »Descartes' Irrtum« (1995) und »Ich fühle, also bin ich« (2000), behandelt er Emotionen als Teil jedes Gedankens und jedes Tuns. Emotionen verbinden Gedanken mit der Wirklichkeit, mit dem Leben selbst. Sie helfen uns, herauszufinden, ob etwas richtig ist, ob es vertraut ist, ob man es brauchen kann, ob es natürlich ist, ob es etwas Neues ist, wie es mit anderem in Verbindung steht, und sie helfen uns, zu entscheiden, ob und wie wir auf etwas reagieren. Emotionen helfen uns, das, was wir denken, mit dem zu verbinden, was uns umgibt. Sie helfen uns, wie bei der Gewitterstimmung, etwas *tiefer* zu erleben.

Emotionen dürfen nicht isoliert betrachtet werden. Sie energetisieren und begleiten Gedanken, Ziele, Pläne, Entscheidungen und Handlungen. Was genau dem Lebensgefühl entsprach, das ich in dieser Zeit hatte. Ich spürte förmlich, dass wir umso mehr geistiges Potenzial entfalten können, je umfassender wir die volle Kapazität des Gehirns ausschöpfen.

Forschungsreise in die USA

Diese Erkenntnisse beflügelten meine Gedanken. Ich nahm mir vor, die wichtigsten Forscher auf dem Gebiet der neurowissenschaftlichen Emotionsforschung in den USA zu besuchen und plante eine viermonatige Forschungsreise nach Iowa City, New York, Los Angeles und an die Harvard University. Die Reaktionen der Kollegen waren sehr herzlich. Als Gastforscherin erhielt ich Zugang zu den wichtigsten Forschungslabors. Die Mitglieder der Forschungsgruppe kümmerten sich um die Unterkunft. An manchen Labors hatte ich sogar ein eigenes Büro.

Department of Neurology University of Iowa Clinics

Die ersten zwei Monate war ich nach Iowa City eingeladen. António Damasio ist Arzt und war damals Leiter der neurologischen Abteilung einer der modernsten Universitätskliniken der USA. Er leitet jetzt das »Brain and Creativity Institute« an der University of Southern California in San Diego.

In den University of Iowa Clinics erinnerte so gut wie nichts an ein Krankenhaus. Ärzte und Patienten gehen völlig ungezwungen miteinander um, und als ich die Eingangshalle betrat, hörte ich dort Livemusik auf dem Klavier.

António Damasio und seine Frau Hanna betreuen hier Patienten, die durch einen Schlaganfall, einen Unfall oder eine erbliche Krankheit Schädigungen am Gehirn erlitten haben. Er untersucht mit seinem Team, wo sich die Verletzung befindet und welche Störungen sie im Verhalten verursacht. Dazu verwendet er ausgefeilte neuropsychologische

Tests. Während des Forschungsaufenthalts durfte ich alle Phasen der neurologischen Untersuchungen kennenlernen. So war ich dabei, wie mit dem Kernspintomografen die Art und Schwere der Verletzung erfasst wurden, wie die dabei entstandenen Bilder ausgewertet wurden, wie eine dreidimensionale Computersimulation des geschädigten Gehirns mit einer speziellen Computersoftware entsteht, wie neuropsychologische Tests eine bestimmte Störung im Gehirn sichtbar werden lassen und damit auffindbar. Ich bekam mit, wie ein Patient zwar normal vorwärts zählen konnte, durch die Verletzung aber nicht in der Lage war, dies auch rückwärts zu tun. Und wunderte mich, wie fein Funktionen sein können, die einzelne Bereiche im Gehirn übernehmen.

Auf diese Weise lernte ich, mit welchen Methoden [bildgebende Verfahren wie Positronenemissionstomografie (PET), funktionelle Kernspintomografie (fMRT), EEG, Neurophysiologie, Computersimulation, Tests, Gespräche] Neurowissenschaftler arbeiten, welche Bereiche im Gehirn welche Funktionen haben und wie grundlegend Verletzungen im Gehirn das Verhalten und die Psyche der Menschen beeinträchtigen. Am Institut von António Damasio arbeiteten Forscher, Techniker, Betreuungspersonal und Ärzte so eng zusammen, dass eine fast fürsorgliche persönliche Betreuung der Patienten möglich ist. Dies erkannte ich am respektvollen Umgang mit den Menschen und an den Heilungserfolgen, die dieses Institut hat.

Ein Patient vertraute sich mir an und sagte: »Die Gehirnverletzung beeinträchtigt mein ganzes Leben. Ich spüre, ich kann mich nicht mehr richtig um meine Kinder kümmern. Das tut mir sehr weh.« Daraufhin sah er mich einfach ohne Worte mit großen Augen an, dabei rannen Tränen über sein

Gesicht. In diesem Moment erahnte ich, dass die technischen Geräte niemals erfassen können, wie tief eine solche Störung den Menschen selbst, seine Gefühle und seine Seele, erfasst. Ich dachte bei mir: »Ich will bei dem, was ich erforsche, den ganzen Menschen sehen und ihm helfen.«

Geist und Gehirn

Bei meinen Entdeckungen und Gesprächen fiel mir auf, wie stark sich die neurowissenschaftliche Forschung auf die Funktionen einzelner Bereiche spezialisiert hat. Eine wissenschaftliche Erfassung der ganzheitlichen Verarbeitung im Gehirn ist bisher kaum möglich. Ich erfuhr auch, dass bei den Messungen, die in anderen Gehirnbereichen, besonders in den subkortikalen Bereichen, in denen Gefühle und Persönlichkeitsmerkmale verarbeitet werden, gleichzeitig auftretende Aktivitäten oft noch gar nicht richtig erfasst werden.

Mit Ralph Adolphs, er war damals Assistent von António Damasio, konnte ich solche Zweifel besprechen. Er ist Neurobiologe und weiß genau, dass Leben aus mehr als einzelnen Gehirnbereichen und ihren entsprechenden Funktionen besteht. Er ermutigte mich immer wieder, über die Einseitigkeit der neurowissenschaftlichen Forschung hinauszublicken. Er arrangierte auch, dass ich in einem Lab Meeting einen Vortrag darüber hielt. Ich sprach als Erziehungswissenschaftlerin über die ganzheitliche Verarbeitung im Gehirn und dabei auch über mein persönliches Anliegen, wie Kinder ganzheitlich im Unterricht »gehirngemäß« angeregt werden können. Der Vortrag war ein Erfolg. Alle Forscher des Instituts öffneten mir ihre Labors und sprachen offen über ihre Forschungsprojekte. Sie sprachen mit mir auch über den Leistungsdruck, das Konkurrenzdenken, die Isolation und den Zwang zur Spezialisierung in ihrer Disziplin.

Auf diese Weise erfuhr ich viel mehr, als ich je zu hoffen gewagt hatte: über die Amygdala, den Hippocampus, die räumliche Orientierung im Gehirn, die Aufgaben des präfrontalen Kortex, über Wahrnehmung und Entscheidungsfindung und Problemlösen im Gehirn, die Rolle von Emotionen und auch über die schwierigen Forschungsbedingungen von Neurowissenschaftlern.

Den Abschluss bildete ein langes Gespräch mit António Damasio. Er zeigte mir, wie man Geist und Vernunft mit neurowissenschaftlicher Forschung hinterfragen kann, und bestätigte mich auf der Suche nach den »Geheimnissen des Gehirns«.

Center for Neural Science New York University

Wie unterschiedlich die neurowissenschaftliche Forschung sein kann, zeigte sich mir auf der nächsten Station der Reise. Mitten in Greenwich Village gleich bei der 5th Avenue im achten Stock der New York University befindet sich das Center for Neural Science mit dem Labor von Joseph LeDoux. Als ich eintrat, musste ich noch etwas warten, ein Filmteam machte gerade Aufnahmen. Joseph LeDoux beschäftigt sich ausschließlich mit dem Gefühl der Angst. Dazu erforscht er die Amygdala in allen Facetten mit der Methode der Angstkonditionierung an Ratten. Diese Forschung war so speziell, dass ich zu Beginn nicht viel damit anfangen konnte. Mit der Zeit lernte ich jedoch, dass die Amygdala Verbindungen zu vielen anderen Bereichen im Gehirn aufnimmt, wie dem präfrontalen Kortex, Hippocampus und den Wahrnehmungsbereichen.

Joseph LeDoux verschaffte mir durch Kontakte Zugang zu vielen anderen neurowissenschaftlichen Instituten in New York. So sprach ich mit Forschern an der elitären Rockefeller University, hörte einen Vortrag am Beth Israel Medical Center und besuchte alle anderen neurowissenschaftlichen Institute der New York University. Aus erster Hand erhielt ich Einblicke in die Vielfalt der neurowissenschaftlichen Forschung, in die aktuelle Forschungslandschaft und die neuesten Trends der Forschungsmethoden.

Center for the Neurobiology of Learning and Memory University of California Irvine (Los Angeles)

Ein kleines Bassin ist mit hellblau trübem Wasser gefüllt. Versteckt befindet sich unter der Wasseroberfläche, von außen nicht sichtbar, eine kleine Plattform. Benno Rozendaal, der Forschungsleiter, hebt mit weißen Handschuhen eine Ratte sachte aus dem Käfig. An der Wand des sterilen weiß getünchten dunklen Labors sind viele solche enge kleine Käfige aufeinandergeschichtet. Die Versuchsratten leben auf engstem Raum und erhalten gerade das Nötigste an Wasser, Futter und Licht. Für mich sehen sie erschreckt aus. Benno nimmt die Ratte liebevoll in seine Hand und redet beruhigend, fast zärtlich auf sie ein, während er sie immer wieder streichelt. Dann setzt er sie in das Bassin mit trübem Wasser.

Viele Ratten zeigen Angst, wenn man sie plötzlich ins Wasser setzt. Auch diese Ratte schwamm in Panik scheinbar ziellos im Wasser herum, bis sie, zuerst zufällig, die rettende Plattform erreichte. Nach ein paar Durchgängen aber schwimmt die Ratte schnurgerade auf die unsichtbare Plattform zu, stellt sich darauf und schüttelt sich zufrieden. Die Ratte hatte gelernt, wo sich die rettende Plattform befindet. Egal, von wo aus man die Ratte nun in das Bassin setzte, sie fand die Plattform sofort. Dabei brauchte sie immer weniger Zeit, bis sie die Plattform gefunden hatte. Dies wurde genau gemessen.

Daraufhin fragte ich Benno: »Warum findet die Ratte die Plattform jetzt so schnell?« Benno antwortete: »Wenn sie ins Wasser eintaucht, orientiert sie sich an den Wänden und Licht und Schatten im Labor und den Begrenzungen des Beckens. Sie bildet in ihrem Gehirn eine exakte räumliche Karte, wo genau sich die Plattform befindet. So kann sie von jedem Punkt des Bassins genau abschätzen, wie weit die Plattform vom Ufer entfernt ist. Egal wo man sie jetzt ins Wasser lässt, ist sie in der Lage, die ›Insel‹ anzusteuern. Wenn sie zu nervös ist, dauert es länger, wenn sie etwas nervös ist, ist es optimal.«

James McGaugh geht in seinem Labor der Frage nach, inwieweit Angst und Nervosität (und damit für mich: Emotionen) das Lernen (wo die Plattform sich befindet) unterstützen. Emotionen helfen dabei, Lernen zu »konsolidieren«, was bedeutet, es zu festigen. In anderen Worten: Emotionen helfen durch ein tieferes Erleben der Situation, dass ich eine Lösung für ein Problem besser finde und dass ich mir die Lösung besser merken kann.

Das Labor von James McGaugh an der University of California in Irvine (Los Angeles) ist berühmt für seine Forschung der Neurobiologie des Lernens und des Gedächtnisses. Hier wird auf der neuronalen, der zellulären, der systemischen und der verhaltensmäßigen Ebene über Lernen und Gedächtnis geforscht. Es beschäftigt sich unter anderem mit folgenden Forschungsfragen:

- Welche Gehirnbereiche und Neurotransmitter sind am Lernen beteiligt?
- Wodurch wird Lernen gefördert? Wodurch verhindert?
- Welche Rolle spielt die Amygdala dabei?

Was hier am Beispiel der Amygdala erforscht wird, steht für die Wirkung von Emotionen allgemein. Emotionen helfen bei der Konsolidierung, der Vertiefung von Erlebtem. Dadurch, dass ich beim Lernen staune, eine Bedeutung suche, miterlebe, finde ich schneller eine Lösung und kann mir das Erlebte besser merken. Gleichzeitig werde ich aufmerksamer auf das, was um mich herum geschieht. Ich nehme mehr Details wahr und bin in der Lage, sie richtig zu deuten und mit der Lösung eines Problems in Verbindung zu bringen. Das Ergebnis sind größere Denk- und Handlungsflexibilität. Neurowissenschaftlich ausgedrückt heißt das »Plastizität«. Das Gehirn wird dadurch flexibler und offener für Neues. Auch diese Ergebnisse bestätigen: Erleben fördert das Lernen. Aus dem Leben für das Leben lernen.

Mind, Brain and Education Harvard University

Mit all diesen Erkenntnissen im Hintergrund reise ich nach Harvard. Dort erwartet mich die Forschungsgruppe um den

Entwicklungspsychologen Kurt Fischer im Dynamic Development Lab der Harvard Graduate School of Education. Sie machen sich gerade Gedanken über ein Mind, Brain and Education Program. Dazu planen sie, interdisziplinäre Projekte zu entwickeln, die die Neurowissenschaften mit den Erziehungswissenschaften verbinden. Die Aufgabe der Studenten ist es, Ergebnisse der Gehirnforschung in der Praxis in Schule und Kindergarten zu testen oder sie auf bestehende Probleme anzuwenden. Sie verwenden dazu Methoden wie Videoanalysen oder Interviews, arbeiten interdisziplinär und entwickeln auf diese Weise Maßnahmen, die Kinder beim Lernen unterstützen. Dabei geht es auch um den Einsatz von Computern und Medien im Unterricht, die sie ebenso für die soziale Integration in der Klasse nutzen. Sie sind interessiert an neuen Ideen und binden mich sofort in ihre Forschung ein. Ich halte dort einen Vortrag, bin eingeladen zu den Meetings der Gruppe und nehme an Gastvorträgen und Seminaren Teil. In dieser Zeit findet auch die Konferenz »Learning & the Brain« über die Anwendung der Ergebnisse der Gehirnforschung in einer Schule in Harvard statt. Daneben besuche ich Neurowissenschaftler an der Harvard Medical School, am Massachusetts Institute of Technology (MIT) und an Instituten für experimentelle Psychologie.

Natural Learning Research Institute Idyllwild/California

Nach der Hektik und der Reizüberflutung der Großstädte kam ich nun an einen Ort in den Bergen über San Diego. Idyllwild liegt 1.600 Meter hoch in den San Bernardino Mountains. Umgeben von atemberaubenden Bergen leben die Menschen hier mitten in einem staatlichen Nationalpark. Viele sind Künstler, Schauspieler und Musiker. In unmittelbarer Nähe liegen die Indianerreservate. In einer solch ursprünglichen Natur ist es einfach, über die Natur des Gehirns und des Geistes nachzudenken. In dieser Umgebung haben Renate Caine und ihr Mann Geoffrey Caine zusammen mit der Lehrerin Carol McClintic »Das Natural Learning Research Institute«[1] und »Caine Learning«[2] aufgebaut.

Renate Caine ist emeritierte Erziehungswissenschaftlerin an der California State University San Bernardino. Vorher war sie Lehrerin an einer amerikanischen Highschool und hat mit ihrem innovativen Unterrichtsstil mit ihrer Klasse nationale Preise gewonnen. Renate Caine setzt die Fülle ihres pädagogischen, didaktischen und psychologischen Wissens ein und kombiniert es mit den neuesten Erkenntnissen der Gehirnforschung. Ergänzt wird dieses Wissen durch die pädagogische Erfahrung von Carol McClintic, einer Lehrerin, die über 30 Jahre »gehirngemäß« unterrichtet hat. Renate und Geoffrey Caine haben zudem die Vielfalt der neurowissenschaftlichen Erkenntnisse intensiv erforscht und für Lehrer in verständlicher Weise interpretiert. Sie haben so Veränderungen herausgearbeitet, die Unterricht revolutionieren können.

---

1 www.naturallearninginstitute.org
2 www.cainelearning.com

Man kann Geist erst erfassen,
wenn man das Gehirn genau kennt.

ANTÓNIO DAMASIO

Die Idee für das Buch:
Die 12 Prinzipien

Diese Reise hat mich darin bestätigt: Die Ergebnisse der Gehirnforschung können eine neue, natürliche Art des Lernens beschreiben, die radikale Konsequenzen für den Umgang mit kindlichem Lernen hat. Eltern können diese Chance im Umgang mit ihren Kindern ebenso nutzen wie Lehrer für ihren Unterricht.

Gehirngemäßes Lernen ist keine neue Strömung, kein neues Konzept, keine neue Theorie, keine Strategie oder kein neues Programm, sondern liefert die biologischen Grundlagen für Lernprozesse, wie sie uns die Natur selbst aufzeigt. Wir brauchen die Ordnung, die im Gehirn besteht, sowohl in der Anordnung seiner Organe als auch in deren Funktion nur erkennen und nachahmen.

Ein Weg für Eltern und Lehrer

Es ist ein langer Arbeitsprozess, von einfachen Lernprozessen bei einer Ratte Rückschlüsse über komplexe Lernprozesse bei Menschen zu ziehen. Es bedarf dazu jahrelangen wissenschaftlichen Forschens, eines Prozesses, der von Erfolgen und Misserfolgen begleitet sein wird. Mit diesem Buch möchte ich allen helfen, die komplizierte Wissenschaft verständlicher zu machen. Lehrer müssen mit der Vielfalt der Ergebnisse aus den Neurowissenschaften behutsam umgehen lernen. Sie müssen die Ergebnisse auswählen, die für Lernen relevant sind und dann langsam im Unterricht damit experimentieren.

Es lohnt sich für Lehrer und Eltern, sich in die neurowissenschaftliche Forschung einzuarbeiten, um parallel das Verhalten ihrer Kinder besser zu verstehen und darauf besser reagieren zu können. Ich bin sicher, dass die Einsicht in neurobiologische Vorgänge das Lernen mit einem Kind und den Unterricht in der Schule bereichern und verschönern kann und vor allem erfolgreicher macht.

Dazu möchte ich zunächst allgemeine Hintergrundinformationen über den Aufbau und die Funktionen des Gehirns geben. Danach werde ich auf einzelne Forschungsergebnisse genauer eingehen. Renate und Geoffrey Caine haben die Fülle der neurowissenschaftlichen Ergebnisse in zwölf verständlichen Lehr-Lern-Prinzipien zusammengefasst und direkte Hilfen für Lehrer daraus abgeleitet. Bei jedem Prinzip gehe ich von den Forschungsergebnissen aus, interpretiere sie und ziehe dann die Konsequenzen für das Lernen zu Hause und in der Schule.

12 Prinzipien im Gehirn,
die »natürliches« Lernen ausmachen[3]

Prinzip 1:   Lernen ist physiologisch
Prinzip 2:   Das Gehirn ist sozial
Prinzip 3:   Die Suche nach Sinn ist angeboren
Prinzip 4:   Die Suche nach Sinn geschieht durch die Bildung von (neuronalen) Mustern
Prinzip 5:   Emotionen sind für die Musterbildung wichtig
Prinzip 6:   Das Gehirn verarbeitet Teile und das Ganze gleichzeitig
Prinzip 7:   Zum Lernen gehören sowohl die gerichtete Aufmerksamkeit als auch die periphere Wahrnehmung
Prinzip 8:   Lernen ist sowohl bewusst als auch unbewusst
Prinzip 9:   Es gibt mindestens zwei Arten von Gedächtnis. Die eine ist die Speicherung und Archivierung von isolierten Fakten, Fertigkeiten und Abläufen, die andere ist die gleichzeitige Aktivierung vielfältiger Systeme, um Erfahrungen sinnvoll zu verarbeiten
Prinzip 10: Lernen ist entwicklungsbedingt
Prinzip 11: Komplexes Lernen wird durch Herausforderung gefördert und durch Angst und Bedrohung verhindert, was von Hilflosigkeit und Erschöpfung begleitet ist
Prinzip 12: Jedes Gehirn ist einzigartig

---

3   http://www.cainelearning.com/RESEARCHFOUNDATIONS/Brain-Mind-Principles.html

In einfachen Worten ausgedrückt möchte ich mit diesem Buch sagen: Jedes Kind wird mit einer enormen Fähigkeit, zu lernen, geboren. Jedes Kind lernt, wenn es andere beobachtet und mit ihnen zusammenlebt. Kinder lernen durch Riechen, Schmecken, Tasten, Hören und Sehen und mit einem tiefen Sinn für Freude und Spaß. Mit unserer Hilfe können Kinder lernen, wie sie Gefühle unter Kontrolle halten, aber auch ausdrücken können. Jedes Kind besitzt einzigartige Talente und Fertigkeiten. Jedes Kind lernt am besten, wenn es selbstbewusst, zuversichtlich und motiviert ist. Jedes Kind besitzt eine unendliche Vorstellungskraft und einen Sinn für Kreativität. Jedes Kind wird geboren mit der Fähigkeit, zu staunen und die Welt zu entdecken. Kinder können neue Fähigkeiten lernen, wenn diese mit etwas verbunden sind, das sie wirklich wollen. Jedes Kind ist ein Individuum. Sollten nicht alle Schulen so unterrichten, wie Kinder natürlich lernen? Lernen und Leben gehören zusammen.

Oder, wie es Emily Dickinson in einem ihrer Gedichte ausdrückt: *Das Gehirn ist so weit wie der Himmel.*

Es ist nicht genug zu wissen –
man muss auch anwenden.
Es ist nicht genug zu wollen –
man muss auch tun.

JOHANN WOLFGANG VON GOETHE

Grundlagen des Gehirns

Kinder lernen anders

Anfang September machte ich einen Ausflug an den Tegernsee. Beim Essen in einem Restaurant am See beobachtete ich einen Mann im Kurpark, wie er seinem Hund einen Stock zuwarf. Er wartete zuerst, bis der Hund vor ihm »Platz« machte. Der Mann streifte ihn dabei mit einem nichtssagenden Blick. Der Hund duckte sich unterwürfig. Dann warf der Mann lustlos den Stock mit einem kurzen Ruck weg. Ohne den Mann zu beachten, raste der Hund wie eine Maschine los und brachte ebenso geradlinig den Stock wieder zurück. Keine Gesten, kein Streicheln, keine Emotionen gingen von dem Mann aus. Ein Kind muss das beobachtet haben. Es kam angerannt, bückte sich, streichelte den Hund, der Hund sprang schwanzwedelnd an ihm hoch, suchte das Gesicht abzuschlecken. Das Kind ließ es zu und begrüßte den Hund. Aus der Bewegung heraus nahm das Kind den Stock spielerisch, ohne Furcht zu zeigen, aus seinem Maul. Der Hund freute sich und wedelte mit dem Schwanz. Dann nahm das Kind den Stock und schleuderte ihn spielerisch

33

weg. Der Hund überschlug sich fast vor Energie, raste mit wehendem Fell los, fand den Stock, rannte schwanzwedelnd genauso temperamentvoll und in großen Sätzen auf das Kind zu und wartete sehnsüchtig auf den neuen Wurf. So ging es hin und her. Der Mann stand verwundert daneben und staunte, er griff nicht ein.

Kinder lernen anders.

Der Mann konzentrierte sich, wenn überhaupt, hauptsächlich auf den Wurf. Bei dem Kind lief viel mehr ab: Es hat den Hund offensichtlich gekannt und hat es ihm gezeigt; es hat dem Hund deutlich gemacht, was es will, und hat darauf geachtet, dass der Hund es auch versteht, es hat dem Hund Gefühle gezeigt, hat die Gefühle und den Bewegungsdrang des Hundes berücksichtigt, wollte, dass der Hund Spaß hat, und hatte dabei selbst Spaß und zeigte dies auch, indem es auf die Bewegungen und Gefühle des Hundes reagierte; es hat Angst überwunden, hat sich selbst angestrengt.

Das Kind hat dabei spielerisch Sinneseindrücke, die Situation, die Gefühle und Stimmungen des anderen, Ziele, Pläne, Beziehungen, Gefühle, Wissen, Erfahrungen, Bewegungen miteinander verbunden und so geordnet, dass es zu einem Erfolg führte. Dabei hat es indirekt sehr viel selbst gelernt.

Lernen ist erst dann effektiv, wenn wie bei dem Kind alle Systeme im Körper und im Gehirn für das Lernen eingesetzt werden.

Lernen in Balance

Das Gehirn ist ständig aktiv. Es ist ständig damit beschäftigt, Informationen herauszufinden und das, was es erlebt, zu interpretieren. Das Gehirn tauscht sich in jeder Sekunde mit der Umgebung aus, um herauszufinden, wie es in der Situation reagieren soll. Es nimmt über die Sinne Informationen auf und übersetzt die Informationen in eine entsprechende Antwort. Manchmal ist die Antwort angemessen, manchmal nicht. Lernen ist, was das Gehirn am besten kann, nämlich alles zu ordnen, d. h. die Reize zu erkennen, zu interpretieren, zu verarbeiten und entsprechend darauf zu reagieren. Dadurch entwickelt es sich immer weiter und höher.

Für eine gesunde körperliche und geistige Entwicklung ist es notwendig, dass Kinder tiefe Erfahrungen machen, in denen sie selbst aktiv Verantwortung übernehmen, echte Entscheidungen treffen, sich durchsetzen, mit anderen zusammenleben, Beziehungen gestalten, eigenständige Ideen entwickeln, logisch weiterdenken und ihr Leben selbstständig führen wollen. Lernen hat direkt etwas mit sinnvoller Lebensgestaltung zu tun. Erst dann wachsen Neuronen im Gehirn. Geschieht dies nicht, kann das zu großen psychischen, emotionalen, verhaltensbezogenen, sozialen, kognitiven und physischen Problemen führen.

Bei natürlichem Lernen entwickeln die Lernenden Fähigkeiten im Gehirn, die das, was sie gerade erleben, mit allem anderen verbinden, was sie bisher schon erlebt haben. »Unnatürliches« Lernen führt dagegen zu Disharmonie und Unordnung im Gehirn. Um Lernen effektiver und vor allem natürlicher zu gestalten, ist es notwendig, die natürlichen Prinzipien der Gehirnentwicklung zu berücksichtigen.

Die Bedeutung des Gehirns

In der »Society of Neuroscience« sind die meisten Gehirnforscher der USA organisiert. Sie hat in einem Positionspapier grundlegende Erkenntnisse über das Gehirn und gleichzeitig die vielfältigen Forschungsrichtungen der Neurowissenschaften in acht »Core Concepts« zusammengefasst[4]. Sechs dieser »Kernaussagen« sind auch für Eltern und Lehrer interessant, daher möchte ich sie hier entlang dieses Papiers wiedergeben:

Körper und Geist arbeiten eng zusammen

1. Das Gehirn ist das komplexeste Organ überhaupt
Das Gehirn ist eine vibrierende Einheit aus hundert Billionen Zellen. Jede Zelle kommuniziert, ist mit vielen anderen Zellen vernetzt und tauscht ständig Informationen aus. Alle anderen Systeme im Körper (Herz-Blut-Kreislauf, Immunsystem, Verdauung, innere Organe) beeinflussen das Gehirn unmittelbar (positiv oder negativ).

2. Neurone verständigen sich durch elektrische und chemische Signale
Ein Reiz, der über die Sinne oder die Muskeln aufgenommen wird, wird sofort in elektrische Impulse (Aktionspotenziale) umgewandelt und über Synapsen von Neuron zu Neuron weitergeleitet. Sensorische Reize werden zu Gedanken und Empfindungen, motorische Reize werden zu Bewegungen. Werden neue Verbindungen an den Synapsen hergestellt, verändert dies die Schnelligkeit der Reizweiterleitung im gesamten Gehirn. Die Kommunikation zwischen den Neuronen wird durch Aktivitäten der Person, wie Üben, Training, Stress oder Drogenmissbrauch gestärkt oder geschwächt. Jede Wahrnehmung, jeder Gedanke oder jedes Verhalten entsteht durch ein Netzwerk von Verknüpfungen zwischen Neuronen (komplexe neuronale Netzwerke).

---

4 www.sfn.org/index.cfm?pagename=core_concepts&section=publications

Gene und die Umwelt halten das Gehirn in Schwung (Plastizität)

3. Die Grundstruktur des Gehirns wird durch Gene bestimmt
Neuronale Netzwerke werden während der Entwicklung des Embryos durch genetische Programme geprägt und werden durch ständigen Austausch mit der inneren und äußeren Umwelt ein Leben lang geformt.
Über die Sinne (Sehen, Hören, Riechen, Schmecken) erreicht das Nervensystem kontinuierlich eine Flut von Informationen. Gleichzeitig senden motorische Schaltkreise Informationen zu den Muskeln und Drüsen. Der einfachste Schaltkreis ist ein Reflex, bei dem ein sensorischer Reiz eine direkte motorische Reaktion herausfordert. Komplexe Reaktionen entstehen dann, wenn das Gehirn Informationen aus verschiedenen Schaltkreisen des Gehirns zu einer Antwort verbindet. Das Gehirn ist so organisiert, dass es Reize erkennt, Verhalten veranlasst und Erinnerungen speichert und für neue Situationen bereithält. Sie können ein Leben lang wirken.

4. Körper und Geist verändern sich durch spannende Erfahrungen im realen Leben
Genetische Unterschiede und unterschiedliche Lebensweisen und Lebensstile machen das Gehirn von Menschen und Tieren einzigartig.
Die meisten Neurone werden früh in der Entwicklung gebildet und halten ein Leben lang.
Einige Krankheiten können den Nervenzellen schaden. Aber das Gehirn ist sehr widerstandsfähig. Es erholt sich oft von Stress, Verletzung oder Krankheit.
Ständige körperliche und geistige Aktivität, Übung und Training halten das Gehirn in Schwung. Einige Nervenzellen wachsen das ganze Leben lang nach (Plastizität). Sie werden von Hormonen und Erfahrungen gesteuert.

Erst durch den richtigen Gebrauch des Gehirns entsteht Geist

5. Intelligenz entwickelt sich, wenn das Gehirn denkt, plant und Probleme löst
Das Gehirn bezieht in seine Entscheidungen alle Informationen um es herum mit ein und verdichtet sie zu einer Erkenntnis. Dazu gehören auch die Sinne, Emotionen, Instinkte und persönliche Erinnerungen.

Emotionen sind Bewertungen und geben dem Leben Bedeutungen.
Sie zeigen sich in einfachen Gefühlen, wie Liebe oder Zorn, aber auch
komplexen Gefühlen, wie Mitgefühl oder Hass.
Das Gehirn lernt aus Erfahrungen und bezieht dabei zukünftige Her-
ausforderungen mit ein.
Nur eine normale Gehirntätigkeit erzeugt Bewusstsein.

6. *Durch das Gehirn ist es möglich, was ich denke in Worten
auszudrücken*
Sprache wird früh in der Entwicklung erworben und erleichtert den
Austausch von Informationen und kreativen Gedanken. Kommunikation verbindet.

Die zwölf Prinzipien, die ich später vorstelle, erweitern und
vertiefen die hier vorgestellten biologischen Gesetzmäßigkeiten der Verarbeitung im Gehirn.

Interpretation der Ergebnisse der Gehirnforschung

Im Folgenden möchte ich genauer auf die Informationsverarbeitung im Gehirn eingehen. Alles Lernen ist von einer Veränderung im Gehirn begleitet. Lernen kann deshalb viel effektiver gestaltet werden, wenn Eltern und Lehrer wissen,
wie im Gehirn Informationen aufgenommen, verarbeitet, gespeichert und wiedergegeben werden.

Lernen von tropischen Schmetterlingen
im Gewächshaus

Im März 2010 besuchte ich die Ausstellung »Tropische
Schmetterlinge« im Botanischen Garten in München. 400

exotische Schmetterlinge fliegen frei im tropisch warmen Gewächshaus herum. Auf dem Weg durch die Ausstellung beobachtete ich genau, was in mir vor sich ging:

Es ist ein regnerischer, kühler, winterlicher Tag. Als ich das Gewächshaus betrete, werde ich fast überwältigt von der schwülen Luft und den üppig wuchernden exotischen Pflanzen. Das Gewächshaus ist voll mit Bananenstauden, Orchideen, überall hängen Kletterpflanzen und Lianen von der Decke, ganz wie in einem Urwald. Im Hintergrund höre ich Wasser plätschern. Außen Winter, innen Sommer. Es fühlt sich wie ein Klimaschock an. Besonders im Gesicht bilden sich sofort kleine Schweißperlen. Ich vergesse fast, zu atmen. Wie durch einen Nebel taumle ich weiter. Die feuchtschwüle Luft dämpft die Stimmen und Bewegungen der Besucher. Alles läuft wie in Zeitlupe ab. Der Atem stockt immer wieder. Es dauert einige Minuten, bis ich mich akklimatisiert habe. Ich ahne – so muss sich die Feuchtigkeit im Urwald anfühlen.

Zuerst bin ich wie gelähmt von den vielen Eindrücken. Erst dann sehe ich wieder scharf und erkenne langsam, worum es eigentlich geht – Schmetterlinge. Es dauert eine Weile, bis ich sie entdecke. Dann fällt mir ein: Natürlich, sie tarnen sich ja! Manche Schmetterlinge sitzen mit geschlossenen Flügeln fast unsichtbar auf einem Blatt. Dann wieder nehme ich nur einen feinen Strich wahr, wie einen dünnen Zweig oder ein Blatt von der Seite. Als ich ganz nahe herangehe, sehe ich, wie schön sie sind. Außen sind die Flügel in allen Braunschattierungen gemustert. Die Farben sind genau an die Maserung des Stammes angepasst. Als der Schmetterling plötzlich die Flügel aufschlägt, schillern sie in einem leuchtenden Blau. Ich erinnere mich, genau einen solchen blau schillernden Schmetterling haben wir zu Hause im Wohnzimmer in einem Glas ausgestellt. Warum sind die Falter wohl außen so getarnt und innen so auffällig? Mir fallen Dokumentarfilme über Schmetterlinge ein und was ich früher einmal gelernt habe: Die blaue, schillernde Farbe wirkt abschreckend auf Feinde, aber ebenso anziehend auf Artgenossen.

Manche Falter sind ganz schlicht und heben sich fast nicht vom Dickicht ab, das sie umgibt. Sie sind unscheinbar hellbraun mit ein paar orange oder tiefroten Punkten. So ähnliche Falter habe ich schon auf Wanderungen in den Alpen gesehen. »Diese Schmetterlinge leben in Südamerika und haben doch manche ähnliche Farben und Muster wie hier in Europa«, schießt es mir durch den Kopf. Wie ist das möglich? Darwin? Das ist ja spannend. Ich kann mich gar nicht sattsehen. Überall tropft und trieft es. Immer noch kommt mir alles wie in Zeitlupe vor.

Manche Schmetterlinge saugen Nektar aus tropischen Blüten. Die Blüten sehen aus wie die Blüten von Zimmerpflanzen, die ich kenne. Wieder andere fressen genüsslich aus Schalen mit Früchten. Ach ja, natürlich, im Urwald wachsen schließlich Bananen, Mango und Melonen. Diese Früchte sind wohl ihre natürliche Nahrung. Jetzt sehe ich auch den Rüssel und die aufgerollten Fühler der Schmetterlinge, sehe, wie fein sie sind. Plötzlich öffnen sie die Flügel und flattern mit einer wunderbaren Leichtigkeit davon. Ich beobachte und staune. Von ferne höre ich das Jauchzen der Kinder.

Manchen anderen Besuchern geht es genauso. Ich achte genau darauf, wie sie reagieren. Beeindruckt sie die Ausstellung auch so wie mich? Was denken sie? Wie verändern sie sich? Was wissen sie schon? Ich suche nach ihren Augen. Waren sie am Anfang noch erregt und gesprächig, so werden sie durch die ungewohnte Umgebung immer stiller und, wie ich meine, ehrfurchtsvoller. Manche nutzen den Gang durch die Ausstellung zu einem Gespräch mit einem Freund, manche Eltern beschäftigen sich intensiv mit den Kindern, wieder andere stehen einfach da und beobachten aus der Distanz. Ich erkenne, wer sich intensiv mit den Schmetterlingen auseinandersetzt und wer nicht. Ich suche nach Menschen, die genauso gerührt sind wie ich. Ich bin sensibilisiert für alle Anzeichen von Freude und Verwunderung. Meine Augen folgen zum Teil bewusst, zum Teil unbewusst den Bewegungen der anderen Besucher.

Besonders fällt mir das Verhalten der Kinder auf. Manche Kinder laufen den Schmetterlingen nach und suchen sie mit den Händen zu erhaschen. Andere Kinder quietschen vergnügt. Stolz tragen sie den Schmetterling herum, wenn er sich auf ihre Schulter gesetzt hat. Wieder andere bleiben gebannt stehen und beobachten distanziert. Eine Mutter beugt sich zu ihrem Kind hinunter, weil sie einen Schmetterling im Dickicht entdeckt hat. Ich spüre die Ehrfurcht und das Vergnügen, mit der sie miteinander sprechen.

Dann wende ich meine Aufmerksamkeit wieder den Schmetterlingen zu. Allmählich erkenne ich ihre Verstecke. Als ich genauer hinsehe, bemerke ich, wie zwei Schmetterlinge mit dem Körper aneinanderhängen - sie paaren sich. In einem Schaukasten steht etwas über die Entwicklung von der Larve zum Schmetterling, mit Bildern illustriert. Nachdem ich es gelesen hatte, finde ich zwischen den Blättern kleine Raupen und auch Puppen, die von Ästen und Blättern hängen. Viele Schmetterlinge müssen also frisch ausgeschlüpft sein. Was ich gelesen hatte, bekommt plötzlich einen Sinn. Ich werde immer aufgeregter und entdecke immer mehr Details.

Viele Schmetterlinge sind viel größer als einheimische Schmetterlinge, sie sind auch leuchtender gemustert. Zwischen den Pflanzen erkenne ich wieder die kleinen Falter mit den auffällig orange Flecken. Ich freue mich, wie schlicht sie aussehen. Wo ich auch hinsehe, Schmetterlinge, auf einem Blatt, am Stamm, am Wasser, auf der Hand, in der Luft. Ich weiß, dass es tropische Schmetterlinge sind. In mir regen sich Fragen: Woher stammen die Schmetterlinge? Wie leben sie natürlich? Wie sieht ein richtiger Urwald aus? Wovon ernähren sich Schmetterlinge? Warum sind sie so leuchtend gemustert? Ich interessiere mich immer mehr. Auf Tafeln erhalte ich weitere Informationen zum Vorkommen und zur Lebensweise der Schmetterlinge.

Auch frage ich einen Gärtner, der die Ausstellung bewacht. Er sagt: »Am Ende des Tages sind besonders die Bananenpflanzen von den Raupen leer gefressen, sodass wir sie immer wieder neu pflanzen müssen.« Ich erfahre auch, dass die Schmetterlinge als Puppen von Schmetterlingsfarmen aus Puerto Rico eingeflogen werden und dann hier schlüpfen. Manche Schmetterlinge leben nur einige Tage.

All dies steigert mein Interesse. Auf dem Rundgang entdecke ich eine Karte über das Vorkommen und Informationen zu einzelnen Schmetterlingen. Allmählich lerne ich, die verschiedenen Arten zu unterscheiden.

Eine Stimmung ergreift Besitz von mir, wie schön, wunderbar, zerbrechlich und leicht das Leben ist und welche fantasievollen Formen es hervorbringen kann. Ich spüre, wie das Leben in der Natur auch mit meinem Leben zusammenhängt. Das sind tiefgründige Fragen: Wie hängen Pflanzen, Tiere, Klima und Menschen zusammen? Wie entwickelt sich dieses wunderbare geheimnisvolle Leben? Wie sieht das Leben in einem richtigen Urwald aus? Haben die Schmetterlinge auch Feinde? Müssen wir nicht alles dafür tun, diese schönen Schmetterlinge, die nur unter bestimmten Bedingungen leben können, zu erhalten und zu schützen? Schöpfung? Ich ahne, wie schön, zerbrechlich und vielfältig das Leben ist. Während ich durch den Botanischen Garten zurückgehe, muss ich immer wieder darüber nachdenken, ich bin angetan von den wunderschönen Eindrücken.

Lebensnaher Unterricht

Leben ist Lernen, Lernen ist Leben. Erst wenn wir richtig erleben, lernen wir. Erst wenn das Lernen, wie bei tropischen Schmetterlingen im Gewächshaus, in ein tiefes vielfältiges lebensnahes Erlebnis eingebunden ist, das alle Sinne anspricht, wird es zu einer Erfahrung, die bleibt, die uns weiterforschen lässt. Das Gehirn lernt durch Erfahrungen. Erfahrungen, Erlebnisse sind es, die einfache Assoziationen in Erinnerungen verwandeln. Neue Erfahrungen verändern das Gehirn. Die Folgen sind: Neue Nervenzellen entstehen, neuronale Verknüpfungen wachsen, die Kommunikation zwischen den Nervenzellen wird erleichtert, das Gehirn entwickelt sinnvolle Ideen und intelligente Reaktionen.

Wenn schon einmal gebildete Verknüpfungen durch Wiederholen und Üben aktiviert werden, dann verstärken sich die Verbindungen. So entsteht eine persönliche Beziehung. Wenn eine persönliche Beziehung nicht hergestellt wird, dann bilden sich keine Verknüpfungen im Gehirn aus.

Lehrer können Schülern helfen, solche Verbindungen zu entdecken, wenn sie ihre Schüler genau kennen. Als Lehrerin frage ich mich, wie ich dieses oder jenes Erlebnis des Kindes für den Unterricht nutzen kann. Und andersherum: Wie kann ich den Unterricht so gestalten, dass er seinerseits zu einem tiefen Erlebnis wird?

Lernen ist Leben

Lernen in der Schule läuft genauso ab wie Lernen im Leben. Lernen ist Verbindungen herzustellen und Erkenntnisse zu haben. Nur die Schüler selbst können aktiv die Verbindungen zwischen dem Neuen und dem, was sie schon wissen, herstellen. Lernen bedeutet, eine persönliche Beziehung zu einem Thema herzustellen. Dies ist nur möglich, wenn die Schüler in einer anregungsreichen Umgebung lernen, die Erfahrungen zulässt. Ein solches Klima entsteht durch gute Beziehungen zwischen Lehrer und Schülern und zwischen Schülern untereinander.

Lernen ist erst dann sinnvoll, wenn es, wie im alltäglichen Leben, in eine tiefe Erfahrung eingebettet ist. Lernen findet in einer ständigen Umsetzung des Gelernten in neuen Situationen statt. Unterricht sollte helfen, die natürlichen Erfahrungen der Kinder weiter- und höher zu verarbeiten.

Erst wenn Kinder das Gelernte in einer freien Situation mit allen Sinnen erleben, es in ihr alltägliches Denken einbeziehen, damit umgehen, auf ihrem Niveau weiterdenken, Verbindungen zu Erlebnissen herstellen, es logisch weiterentwickeln, dann entstehen dauerhaft neuronale Verknüpfungen im Gehirn. Erst in so einer natürlichen Umgebung, wird die natürliche Ordnung stiftende Kraft des Gehirns freigesetzt, die Eindrücke, Bewegungen und Gedanken sinnvoll ordnet.

Wann immer Schüler mit neuen Informationen in Kontakt kommen, wird die Information erst dann richtig verarbeitet und langfristig behalten, wenn sie die Möglichkeit haben, unmittelbar darauf zu reagieren und diese Reaktion auch zeigen dürfen. Diese Reaktion kann eine spontane Assoziation, eine Frage, ein Urteil, eine emotionale Reaktion, ein Vergleich mit einem Erlebnis oder Vorwissen sein. Erst wenn Schüler diese Reaktion auch äußern dürfen, verarbeiten sie tiefer, dann erst ist das Gehirn in Aktion.

Lehrer müssten Schülern helfen, solche tiefen Verbindungen im Gehirn herzustellen. Dann erst wächst und entwickelt sich das Gehirn weiter. Denken und Lernen sind immer mit einer Entwicklung verbunden. Erst wenn ich etwas tief verarbeite, kann ich es auch in einer neuen Situation erinnern und richtig darauf reagieren. Bloßes Zuhören oder rein kognitive Verarbeitung wie im bisherigen Unterricht, ermüdet das Gehirn. Natürliches Lernen und Denken fördern die Entwicklung des ganzen Gehirns und tragen dazu bei, dass Körper und Geist gesund bleiben.

Denken ist gesund

Neurobiologen an der University of California Irvine haben in einer Studie[5] gezeigt, wie Lernen unsere geistige Gesundheit fördern kann.

Lernen in alltäglichen Situationen regt bestimmte Rezeptoren an, durch die Neuronen optimal feuern. Das heißt, dass durch ein bestimmtes Protein die Neuronen dazu angeregt

---

5 www.today.uci.edu/news/2010/03/nr_gall_100302.php

werden, zu wachsen und vielfältige Verbindungen herzustellen. Tiefe Erinnerungen entstehen. Das bedeutet auch, dass geistige Anregung die negativen Effekte des Alterns aufheben kann. Denken und Lernen regen direkt die Entwicklung des Gehirns an. Die zwölf Prinzipien, die ich im Anschluss vorstelle, beschreiben die Bedingungen, die das Gehirn braucht, um optimal zu arbeiten.

Ob Kinder aus einer angstvollen Situation herauskommen, Krisen überwinden, Schwächen überwinden, Herausforderungen annehmen, Chancen und Möglichkeiten erkennen, hängt also auch davon ab, wie gut Kinder lernen können. Es kommt nicht nur darauf an, was Kinder lernen, sondern wie gut und wie »gesund« Kinder lernen. Lernen ist der Prozess, mit dem wir uns weiterentwickeln. Lehrer müssten jedem Kind helfen, sich selbst durch Lernen weiterzuentwickeln. Lernen ist absolut lebensnotwendig.

Erleben ist tief

Bei allem, was wir wahrnehmen, sind, wie das Beispiel mit den Schmetterlingen zeigt, im jeweiligen Moment viele verschiedene Systeme im Körper und im Gehirn beteiligt: alle Sinne, dazu gehören auch körperliche Abläufe, Emotionen, Beziehungen, unbewusste und bewusste Gedanken und Gefühle, Gene, Erinnerungen, konkrete und abstrakte Informationen, Ziele und Pläne, Sprache, Bewegungen, mimische und gestische Ausdrucksformen. Alle diese Leistungen werden von bestimmten Gehirnbereichen verarbeitet. Je mehr Systeme sinnvoll geordnet und auf ein Ziel hin ausgerichtet werden, desto besser lernen wir.

Anregungsreiche Umgebung

Damit diese ordnende Kraft des Gehirns entfaltet werden kann, bedarf es einer bestimmten anregenden Umgebung. Im Botanischen Garten hatte ich die Möglichkeit, Schmetterlinge in einer naturnahen Umgebung zu beobachten. Ich spürte die Luftfeuchtigkeit, sah Pflanzen, die im tropischen Regenwald wachsen, die Schmetterlinge konnten sich frei bewegen, es standen Hintergrundinformationen zur Verfügung, ich konnte einen Experten fragen, ich konnte mit anderen sprechen, konnte Gefühle entwickeln, konnte über den Sinn der Ausstellung nachdenken. Das Gehirn braucht solche lebensnahen vielfältigen Umgebungen mit vielen Hilfsquellen und der Unterstützung von Experten. Erst dann wird ein natürlicher Denkprozess in Gang gesetzt, der alle Bereiche im Gehirn aktiviert.

Je mehr Bereiche im Unterricht angesprochen und mit einem Thema verbunden werden, desto tiefer, abwechslungsreicher und lebendiger ist das Lernen. *Wir lernen, wenn die einzelnen Bereiche sinnvoll zu einem komplexen neuronalen Netzwerk verbunden werden.*

Allgemeine Merkmale der Verarbeitung im Gehirn

Bevor ich genauer auf die Zusammenhänge im Gehirn eingehe, möchte ich einige grundlegende Dinge, die die Verarbeitung im Gehirn ausmachen, erklären: Das Gehirn ist kein einzelnes System. Es besteht aus vielen Teilsystemen, die untereinander verbunden sind. Dazu gehören das Immunsystem, das Verdauungssystem, der Blutkreislauf, die inneren

Organe, das Hormonsystem, das autonome und periphere Nervensystem, das Neurotransmittersystem, das sensorische und motorische System und andere. Sie sind in einer bestimmten Hierarchie (vom Einfachen zum Komplexen) organisiert und arbeiten zusammen (Perry 2002a). Die unterschiedlichen Bereiche im Gehirn haben unterschiedliche Aufgaben (Abb. 1 und 2): bewegen, sich räumlich orientieren, allgemein sensibel sein, sehen, hören, sprechen, ordnen, benennen, entscheiden, beurteilen usw.).

Funktionelle Anatomie

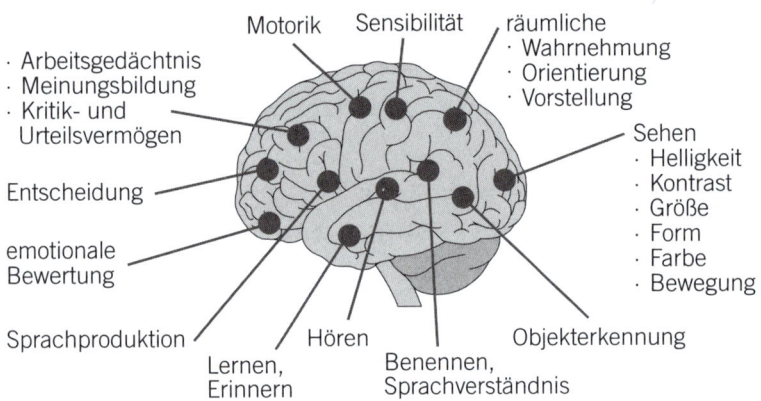

Abb. 1: Alle diese Aufgaben sind bei einem tiefen Erlebnis aktiv. Wenn sie sinnvoll geordnet werden, wird aus dem Erlebnis eine tiefe Erinnerung.
© by Prof. Dr. med. Markus Jüptner 2010, www.jueptnermh.de. Aus: Lernen und Gedächtnis. Funktionelle Neuroanatomie

Die einzelnen Bereiche bestehen aus Netzwerken von Nervenzellen (Neurone). Die Neurone verändern sich ständig als Antwort auf Reize aus dem Gehirn, dem Körper und der

Umgebung. Diese molekularen oder chemischen Veränderungen der Neurone bewirken, dass Informationen gespeichert werden. Die Speicherung von Informationen ist die Grundlage von Erinnerung und Gedächtnis aller Art. Die Speicherung ist davon abhängig, wie oft der entsprechende Gehirnbereich aktiviert wird. Je öfter das Gehirnsystem ak-

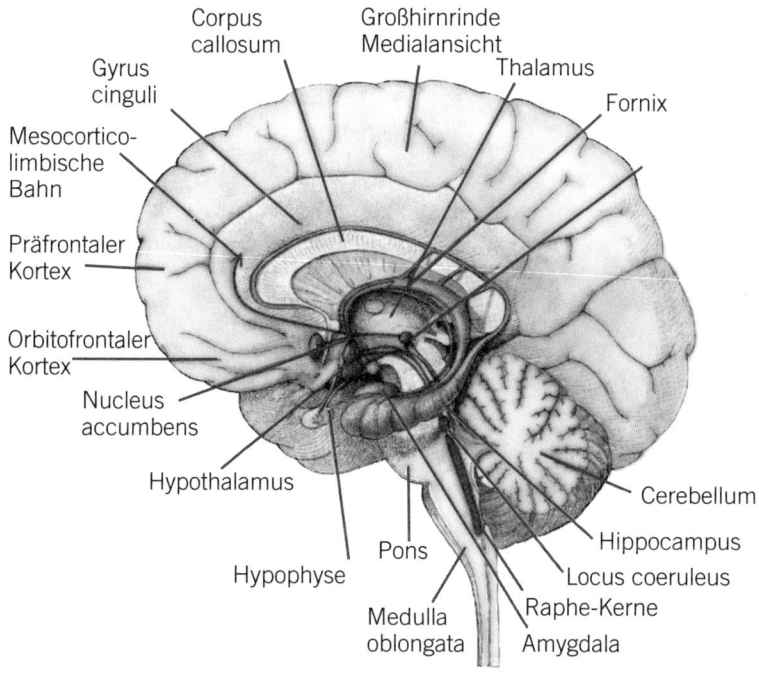

Abb. 2: Längsschnitt durch das menschliche Gehirn mit den wichtigsten limbischen Zentren. Diese Zentren sind Orte der Entstehung von positiven (Nucleus accumbens, ventrales tegmentales Areal) und negativen Gefühlen (Amygdala), der Gedächtnisorganisation (Hippocampus), der Aufmerksamkeits- und Bewusstseinssteuerung (basales Vorderhirn, Locus coeruleus, Thalamus) und der vegetativen Funktionen (Hypothalamus). © G. Roth (2009)

tiviert wird, desto wahrscheinlicher ist es, dass ein Aspekt oder eine Information »eingearbeitet« wird. Man spricht davon, das Gehirn speichere »gebrauchsabhängig« (»use it or loose it«). Die Tiefe der Verarbeitung ist abhängig von der Höhe der Aufmerksamkeit (wach/müde) (Perry 2002a). Was das bedeutet, darauf gehe ich im Folgenden noch genauer ein.

Das Gehirn ist wie ein Baum organisiert: Er besteht aus einem Stamm, Ästen und Zweigen. Man kann sich das Gehirn als »Erregungs- und Aktivierungsbaum« (Goldberg 2002, S. 52) vorstellen. Sein Stamm ist für die allgemeine physiologische Erregung und Aktivierung zuständig, die für die Funktion verschiedener Gehirnstrukturen notwendig ist. Alle diese Bereiche sind Teile von größeren Systemen (Abb. 3), die alle miteinander in Verbindung stehen und vom präfrontalen Kortex koordiniert werden:

- *Gehirnstamm und Basalganglien (Hirnstamm/Mittelhirn):* Sie verarbeiten Instinkte, Routinen, einfache Emotionen, entwickeln Bewegungspläne und dienen der Aufrechterhaltung aller Lebensfunktionen. Auf das Beispiel mit den Schmetterlingen bezogen sind das die Neugier auf die Ausstellung, das Gefühl, wie zart, wunderschön und leicht Schmetterlinge aussehen und wie sie fliegen. Routinen sind wiederkehrende Verhaltensweisen, z. B. wie man sich bei einer Ausstellung verhält, die vielen Details, die ich gesehen habe, Aufmerksamkeit, Konzentration, Interesse, das heißt der Wille, sich mit Schmetterlingen intensiv auseinanderzusetzen, die Genauigkeit und Intensität der Beobachtungen, das bewusste Wahrnehmen der unterschiedlichen Reize im Gewächshaus, das Erkennen von

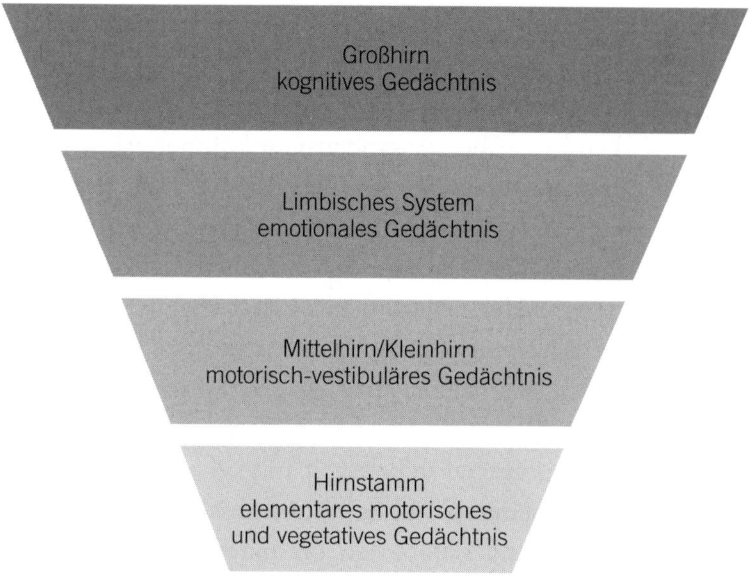

Abb. 3: Das menschliche Gehirn kann in vier untereinander verbundene Bereiche eingeteilt werden: den Gehirnstamm, das Mittelhirn oder Dienzephalon, das limbische System und den Neokortex oder das Großhirn (Perry 2000, S. 3).

© by B. Perry, www.ChildTrauma.org

neuen Farben, Mustern und Formen und das Deuten, die Verbindungen mit Erinnerungen an Schmetterlinge, Informationen mit dem, was ich in der Ausstellung erlebt habe, in Verbindung zu setzen, der Bezug zu anderen Menschen.

- *Thalamus, Hypothalamus, Hippocampus, Amygdala (limbisches System):* (soziale) Emotionen, Werte, Körperfunktionen.

Am Beispiel: das Erkennen, wie andere Menschen, besonders Kinder, auf die Schmetterlinge reagieren, die Deu-

tung der Informationen anderer, Bewusstsein von Arten-
schutz, Umweltschutz, Erhaltung von Urwäldern,
Bedrohung von Leben, Erkenntnis über Vielfalt der Arten, Erkenntnis über Aufgaben von Schmetterlingen im
Ökosystem, Komplexität des Ökosystems.

- *Neokortex, Großhirnrinde:* Denken, Planen, Koordination
von Verhalten, Bewertung.

Am Beispiel: welche Methoden ich einsetze, um etwas genauer herauszufinden: genaue Beobachtungen beschreiben
und deuten, Staunen ausdrücken, Verhalten beobachten
und deuten, Ahnungen bestätigen, Berührung, Befragung
von Experten, Fragen stellen, mit anderen sprechen, Informationen entnehmen und zusammenfassen, eine Antwort
auf eine Frage finden, forschen, bei anderen zuhören, etwas
über die Ausstellung im Internet herausfinden, sich an Gelerntes erinnern, mit jemandem über die Erlebnisse sprechen, Gefühle, Erstaunen, Gedanken äußern.

Vom Gehirnstamm werden verschiedenste Äste ausgesendet,
die die Erregung in Form von Neurotransmittern dem gesamten Gehirn mitteilen.

In jeder Sekunde unseres Lebens nimmt das Gehirn über
alle Sinne wahr (Gehirnstamm), verarbeitet die eingehenden
Signale (Dienzephalon, limbisches System), behält Teile der
Informationen und reagiert auf das Erinnerte durch Handlungen (Neokortex) (Abb. 3). Wenn Informationen wirklich
nachhaltig verarbeitet werden, werden alle diese Ebenen aktiviert und zu einem neuronalen Netzwerk verbunden. Das
sind konkret (Perry 2000, S. 3): Körpertemperatur, Herz-
schlag, Blutdruck, Schlaf, Hunger/Sättigung, Erregung, motorische Steuerung, emotionale Reaktionsbereitschaft, sexu-

elles Verhalten, Beziehung, Freundschaft, konkretes und abstraktes Denken.

Alle diese Bereiche werden Schritt für Schritt durch Erleben und Erfahrung miteinander verbunden. Es entsteht im Gehirn, wie im obigen Beispiel beschrieben, ein lebendiges dreidimensionales Verständnis oder Vorstellungsbild, wie tropische Schmetterlinge im Urwald leben.

Aus Erlebnissen werden Erinnerungen

Indem sich diese Wellen neuronaler Aktivität in höhere und komplexere (limbische und kortikale) Bereiche (Abb. 3) des Gehirns bewegen, werden die einfachen Muster mit schon vorher gespeicherten Erinnerungen (Erlebnisse mit Schmetterlingen), verglichen und verbunden. Das ist direkt in der Dichte der Verzweigungen der Neuronen erkennbar. Eine solche Assoziation und parallele Verarbeitung zeigt die Abbildung 4 auf der folgenden Seite.

Ein Reiz wird im Gehirnstamm zunächst unbewusst wahrgenommen. Dies löst in mir körperliche Reaktionen aus, was den Blutdruck ansteigen lässt, wobei sich die Körpertemperatur verändert. Dies führt dazu, dass ich den Reiz genauer und bewusster ansehe (Wahrnehmung), und Assoziationen bilde. Gleichzeitig bewege ich mich, um es mir genauer anzusehen, befühle es oder spreche spontan darüber (Handlung). Dadurch wiederum wird die allgemeine Aufmerksamkeit gesteigert. Ich werde wacher und achte auf weitere Details, dies können auch, wie bei dem Erlebnis mit den Schmetterlingen, Erinnerungen (Mittelhirn) sein. Aus dem zusammen ergibt sich eine emotionale Gestimmtheit (Limbisches System). Ich werde heiterer, sicherer, offener oder nachdenklicher und drücke es in Worten oder Gesten aus. Dies regt mich dazu an, was ich sehe, in größere Zusammenhänge einzubetten und darauf zu reagieren (Neokortex). Ich erzähle jemandem davon, nehme ein Buch und lese nach, schreibe etwas auf, frage nach oder informiere mich im Internet genauer, unternehme eine Reise, denke stärker darüber nach. Eine Erinnerung entsteht erst dann, wenn ich darauf

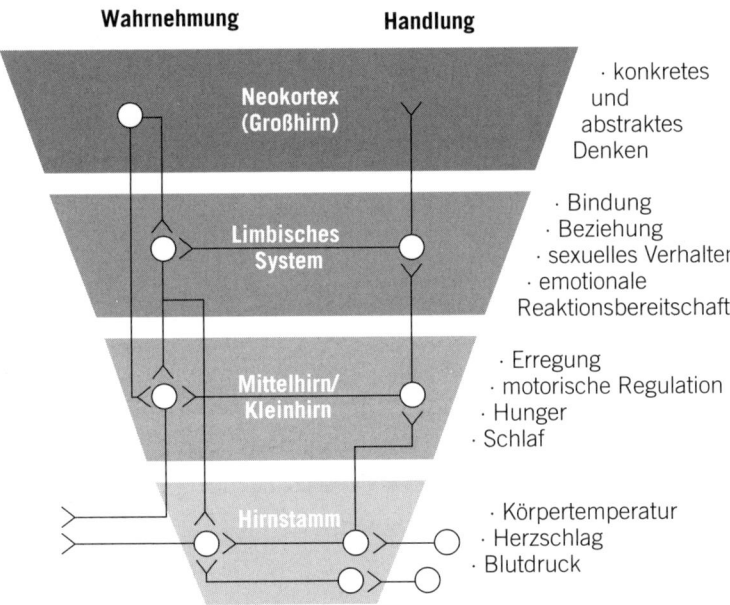

Abb. 4: Verarbeitung auf verschiedenen Ebenen: Alle eintreffenden sensorischen Informationen werden im Zentralnervensystem zunächst auf der Höhe des Rückenmarks oder des Gehirnstamms aufgenommen und dann weiter und höher verarbeitet (Perry 2000, S. 3).

© by B. Perry, www.ChildTrauma.org

reagiere, sie ausdrücke, mir bewusst mache, andere daran teilhaben lasse.

Durch die vernetzte Verarbeitung werden frühere Erlebnisse mit der aktuellen Wahrnehmung und mit Zukunftsplänen verbunden. Erlebnisse werden so zu bleibenden Erinnerungen. Das Ergebnis ist, dass ich mich schneller daran erinnern kann. Tiefe Erlebnisse fördern die neuronale Aktivität auf allen Ebenen. Sie sind deshalb für eine optimale Entwicklung des Gehirns unentbehrlich. Erlebnisse beeinflussen nicht nur, welche Informationen aufgenommen werden, sie bestimmen auch, wie die Informationen integriert werden.

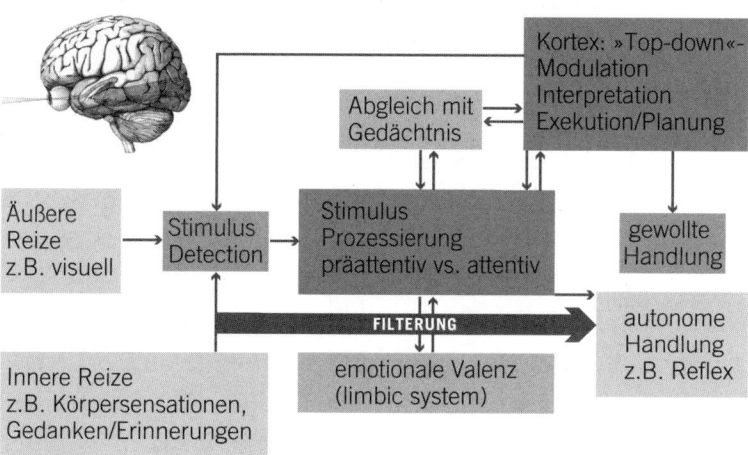

Bottom-up- und Top-down-Modulation der exterozeptiven und interozeptiven Reizverarbeitung im Gehirn

Abb. 5: Informationsverarbeitung läuft in einer kontinuierlichen, aufeinander aufbauenden Abfolge von Wahrnehmung, Entscheidung, Verarbeitung, Handlung und Feedback ab.
© by F. X. Vollenweider, PUK Zürich

Signale aus dem Körper (innere Reize) (Abb. 5), wie die Vorfreude auf die Ausstellung oder das Schwitzen aufgrund der feuchten Luft, werden von Strukturen im limbischen System empfangen und mit Gefühlen verbunden. Ich empfinde das Schwitzen und fühle mich erschöpft. Von dort aus werden die emotionalen Informationen aus dem Körper zum Neokortex gesendet. Hier werden sie mit den Reizen aus allen Sinnen (sensorisch) kombiniert. Ich sehe den Nebel und die üppigen Pflanzen, spüre die Feuchtigkeit der Luft, höre das Wasser plätschern, höre die Stimmen nur noch gedämpft. Ich schließe daraus, dass so ähnliche Bedingungen in den tropischen Regenwäldern, den Lebensräumen der Schmetterlinge, herrschen müssen. Im Neokortex werden die Informationen mit übergeordneten Konzepten aus den Assoziationskortizes verbunden. Dies bewirkt bei mir Erinnerungen an Dokumentarfilme über tropische Regenwälder. Auf einem Besuch in Brasilien bin ich durch die Regenwälder dort gefahren und habe mir immer gewünscht, den Regenwald genauer kennenzulernen. Ich interessiere mich dafür, wie ursprüngliche Natur aussieht. Bei Orchideen, die ich im Geschäft kaufe, denke ich immer an die Urwälder, in denen sie wachsen. Ich liebe feuchtschwüles Klima. Ich interessiere mich dafür, wie Schmetterlinge ursprünglich leben. Daraufhin werden die Informationen in Sprache umgesetzt und von den Sprachverarbeitungszentren weiterverarbeitet. Mir fallen Fachwörter ein. Ich kann die Farben und Muster der Schmetterlinge beschreiben, und beschreiben, in welcher natürlichen Umgebung sie leben. Auch kann ich ausdrücken, wie bedroht sie sind und was man dagegen tun kann. Von den Assoziationszentren des Orbitofrontalkortex werden die Codes aus den unterschiedlichen Systemen integriert und an die Outputorgane, wie Sprechen oder Bewegen gesendet. Ich kann beschreiben, wie üppig die Pflanzen wachsen, wo überall sich die Schmetterlinge versteckt haben, wie die Schmetterlinge aussehen, welche Gefühle das in mir wachruft. Ich kann anderen Besuchern von den Schmetterlingen in unserem Garten erzählen. Was ich in der Ausstellung erlebt und gedacht habe, drückt sich auch in allen meinen Bewegungen aus. Ich bin vorsichtiger, achte darauf, wie die anderen Leute reagieren, bin erstaunt, betroffen und innerlich tief von dem angetan, was ich gesehen habe: Das Leben bringt wunderbare Farben und Formen hervor, das Leben entwickelt sich immer weiter. Aus dieser Sicht wurden mir die Auswirkungen der Verschmutzung und Zerstörung der Umwelt bewusst.

Durch die Umwandlung von Wahrnehmung in Handlung, durch die Erkenntnis, dass das Leben, wie die Schmetterlinge zeigen, so wunderbar zart und zerbrechlich gestaltet und doch so an die Natur angepasst ist, denke ich darüber nach, was alles zum Leben gehört, damit es erhalten bleibt. Durch die Ausstellung lerne ich etwas über mein eigenes Leben. Erst wenn sie mit einem tieferen Wert, mit der Bedeutung für das Leben verbunden sind, werden die unterschiedlichen Informationen in geistigen Prozessen wirksam integriert. Das ist Lernen aus der Sicht des Gehirns. Die Voraussetzung dafür ist, etwas wirklich zu erleben. Erst dann entwickelt sich das Gehirn. Das Gehirn ist ein offenes dynamisches, lebendiges System.

Erlebnisse beeinflussen nicht nur, welche Informationen aufgenommen werden, sie beeinflussen auch, wie die Informationen verarbeitet werden (Siegel 2006, S. 31). Das Ergebnis sind lebendige, offene, weite Ideen und Gedanken.

Kinder brauchen Abwechslung

Wenn Kinder nur Faktenwissen ausgesetzt sind, dauert es nur wenige Minuten, bis das Gehirn ermüdet. Vier bis acht Minuten eines langweiligen Vortrags genügen, dann sucht das Gehirn Ablenkungen von innen (Tagträume) oder von außen (Was hat der Lehrer an?, oder: Wer läuft gerade den Gang entlang?).

Wenn der Lehrer das Bedürfnis nach Neuem nicht immer wieder anspricht, dann sucht es sich das Gehirn eben selbst.

Die ständige Aneinanderreihung von isolierten Fakten oder abstrakten Konzepten oder die Auflistung von Beispielen in einem monotonen Lehrervortrag hat denselben ermüdenden Effekt. Auf diese Weise lernen Kinder weniger und verlieren allmählich den Spaß am Lernen.

Der beste Unterricht, der beste Vortrag besteht aus allen Elementen: Erleben, Emotionen, Beziehungen, Fakten, Konzepten, Beispielen, Methoden und Sozialformen, das heißt, das Dargebotene regt das gesamte Gehirn zur Verarbeitung an.

Je mehr dieser Bereiche im Unterricht angesprochen und mit einem Thema verbunden werden, desto tiefer, abwechslungsreicher und lebendiger ist Lernen. Alle diese unmittelbar verbundenen neuronalen Systeme sind wichtig. Kinder lernen am besten, wenn sie zwischen allen diesen Systemen hin und her »wandern« können.

Am besten ist es, wenn eine Lehrerin oder ein Lehrer ein neuronales System nach dem anderen anspricht und miteinander verbindet: Zum Beispiel beginnt sie mit einer Geschichte. Die Geschichte liefert den Schülern den Kontext.

Gleichzeitig werden die emotionalen Zentren aktiviert. Diese bereiten die kognitiven Bereiche darauf vor, neue Informationen aufzunehmen und zu verarbeiten. Die »trockenen« Informationen werden am leichtesten mit einem emotionalen Touch in Verbindung mit Humor, Mitgefühl, Trauer oder Angst, die aber nicht bedrohlich ist, weiterverarbeitet.

Dann wählt man einzelne Fakten aus und verbindet sie mit einem übergeordneten Konzept. Indem der Lehrer wieder auf die Geschichte eingeht, hilft er den Schülern, eine Verbindung zwischen dem Konzept und der Geschichte herzustellen. Jetzt begründet er oder sie das Konzept wieder mit anderen Fakten.

Man wechselt dabei zwischen Informationen, Konzepten und der Geschichte hin und her. Ein Beispiel für einen solchen Unterricht finden Sie auf S. 101 ff. (Soldaten im Zweiten Weltkrieg).

Lernen hebt die Stimmung und macht offener

Interessant ist, zu wissen, dass das Gehirn, je höher und vielfältiger Informationen verarbeitet werden (Complexity), immer flexibler und reaktionsbereiter wird (Abb. 6). Dann lassen sich auch neue Inhalte desto schneller und sinnvoller an bestehende neuronale Netzwerke knüpfen (Plasticity).

Wenn Informationen »natürlich« verarbeitet werden, werden Menschen automatisch heiterer, aufmerksamer und sind gesprächsbereiter.

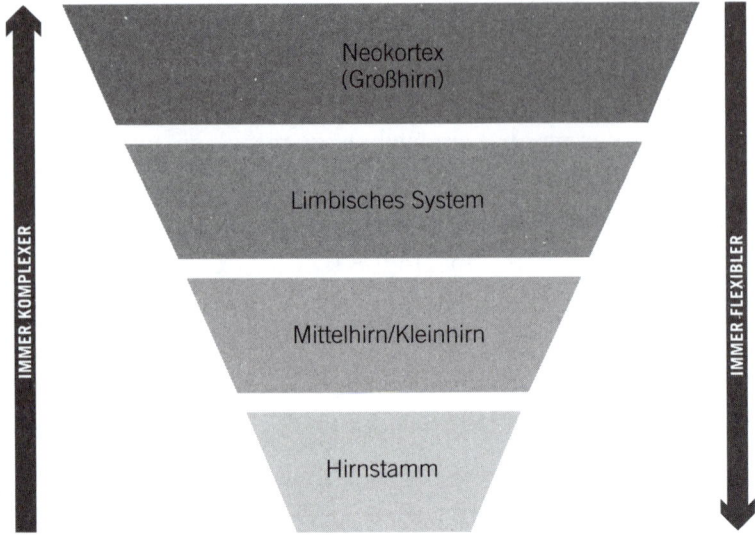

IMMER KOMPLEXER

IMMER FLEXIBLER

Neokortex
(Großhirn)

Limbisches System

Mittelhirn/Kleinhirn

Hirnstamm

Abb. 6: Je stärker die Erkundungsfreude bei Kindern gefördert wird, desto mehr sind sie in der Lage, flexibler zu denken (Flexibility) und komplexere Informationen (Complexity) zu verarbeiten: (Perry (2002) Brain Structure and Function II, www.childtrauma.org/CTAMATERIALS/brain2_inter_02.pdf © by B. Perry, www.ChildTrauma.org

Neugier	führt zu	Erkundung
Erkundung	führt zu	Entdeckungsfreude
Entdeckungsfreude	führt zu	Spaß
Spaß	führt zu	Wiederholung
Wiederholung	führt zu	Können
Können	führt zu	neuen Fähigkeiten
neue Fähigkeiten	führen zu	Zuversicht
Zuversicht	führt zu	Selbstvertrauen
Selbstvertrauen	führt zu	Sicherheit
Sicherheit	führt zu	größerer Erkundung

Abb. 7: Perry, B. Curiosity: The Fuel of Development, www.Scholastic.com © by B. Perry, www.childtrauma.org

Zeichen echten Denkens

Renate Caine (Caine u.a. 2005) hat Merkmale herausgefunden, woran man flexibles reflexives Denken bei Schülern im Unterricht erkennen kann. Dazu gehören:

- Fachwörter richtig verwenden;
- wichtige Ideen und Vorstellungen eines Faches erkennen und wissen, wie sie im Leben angewendet werden;
- beim Lösen von Problemen Risiken eingehen und die eigenen Ideen und Ergebnisse kreativ darstellen;
- die eigene Meinung ausdrücken und einen Standpunkt vertreten;
- spekulieren, Alternativen erkunden und Hypothesen aufstellen;
- Vorhersagen machen und Ergebnisse beurteilen;
- vielfältige Möglichkeiten erkunden;
- kulturelle Nuancen erkennen;
- Verständnislücken aus eigener Initiative heraus füllen;
- Beweise zur Stützung von Schlussfolgerungen verwenden;
- Form und Funktion miteinander verbinden;
- die einzelnen Teile erkennen und benennen können und daraus auf die Funktion und Verwendung schließen;
- Erkennen und Ausdrücken, wie sich das eigene Verständnis durch etwas neu Gelerntes verändert hat;
- bei einem anderen einen Gedanken oder eine Erkenntnis herausfordern;
- Zustimmung oder Ablehnung äußern;
- etwas billigen oder infrage stellen;
- bedeutende Details erkennen;
- eine Idee ausführlich darlegen oder erweitern;

- Verbindungen herstellen zwischen dem, was die Schüler aus einem Text oder aus einer Erfahrung gelernt haben;
- tiefe Einsichten in ein Thema ausdrücken;
- wichtige Einsichten in das eigene Verhalten oder in die Auswirkungen des eigenen Verhaltens auf andere zeigen;
- eine Erkenntnis über das Leben haben;
- professionelle Maßstäbe bei der Benutzung verschiedener Medien anlegen (z. B.: Mündliche Kommentare kommen in ganzen Sätzen und Fachtermini werden korrekt benutzt; Grafiken sind exakt; Kunstwerke entsprechen hohen Ansprüchen);
- Verständnis von Schönheit, Eleganz und Harmonie ausdrücken.

Differenziert denken lernen

Beim Lernen müssen Situationen erzeugt werden, bei denen wie bei einem Erlebnis alle diese Formen der Verarbeitung berücksichtigt werden. Für Lehrer ist es dazu notwendig, geistige Prozesse der Schüler zu erkennen und auf sie einzugehen. Durch die Erkenntnisse der Neurowissenschaften ist es besser möglich, zu verstehen, wie intensiv Beziehungen und die Umsetzung in Sprache das Gehirn beeinflussen. Sie integrieren die wichtigen Schaltkreise und Funktionen der (sozialen) Wahrnehmung, geben Erlebnissen einen Sinn, regulieren Körperzustände, modulieren Emotionen, organisieren das Gedächtnis und steuern die Fähigkeit zur Kommunikation. Ein gehirngemäßer Unterricht muss diese Fülle an Zugangsmöglichkeiten nutzen, weiterentwickeln und so ordnen, dass es zu erfolgreichen Lernprozessen kommt.

Am Beispiel der Macomb Academy of Arts and Sciences in Michigan will ich im Folgenden zeigen, wie eine neue Sicht von Lernen, die aus der Gehirnforschung abgeleitet werden kann, eine ganze Schule verändert.

Macomb Academy of Arts and Sciences

Im ganzen Schulhaus herrscht höchste Aktivität. Schülergruppen sind überall verteilt und arbeiten intensiv an selbst entwickelten Experimenten. Sie messen, zeichnen, bestimmen, geben in den Computer ein, lesen ab, mischen verschiedene Substanzen, befolgen Versuchsanordnungen, prüfen, bauen und erfinden.

In einem Labor wird auf einer schrägen Ebene, die so begrenzt ist, dass sich an der tiefen Stelle Wasser sammelt, ein Spielzeugauto an einem Seil ins Wasser gezogen. Ein Schüler erklärt: »Wir haben drei verschiedene Autos. Wenn wir sie mit unterschiedlichen Geschwindigkeiten durch das Wasser fahren lassen, messen wir den Widerstand des Wassers am Auto, wenn es in das Wasser eintaucht.«

In einer Turnhalle sind Platten mit Sensoren im Abstand eines menschlichen Schritts aufgebaut. Eine Schülerin geht schwungvoll darüber. Eine andere Schülerin misst etwas. Wieder eine andere Schülerin wertet die Ergebnisse am Computer aus. Sie beschreibt: »Wir wollen die Schrittgröße während des Gehens verlängern, um zu erkennen, wie dies die Kraft verändert, die beim Vorwärtsschreiten auf das Knie einwirkt. Wir wollen quasi analysieren, welchen Effekt der Druck auf die Gelenke hat.«

Wenn man die »Macomb Academy of Arts and Sciences«

das erste Mal betritt, denkt man, hier herrsche das reinste Chaos. Die Schüler bewegen sich in der ganzen Schule. Wenn man aber mit den Schülern spricht, dann erkennt man, was hier wirklich abläuft. Obwohl es auf den ersten Blick unstrukturiert aussieht, steht dahinter ein großes Konzept.

Die Macomb Academy of Arts and Sciences ist eine »Magnet School« (Highschool), die nach einem »accelerated curriculum« in Mathematik, Naturwissenschaft, Technologie und Kunst in den Klassen 9 bis 12 unterrichtet. Das Besondere an dieser Schule ist die hervorragende technische Ausstattung. So wird eine einzigartige Lernumgebung für Schüler geschaffen.

Die Macomb Academy of Arts and Sciences stellt einen Paradigmenwechsel zu traditionellen Lehrmethoden dar. Hier werden die Schüler dazu angeregt, Verantwortung für ihr eigenes Lernen zu übernehmen. Sie werden dadurch zu unabhängig denkenden Menschen, die auch bereit sind, Risiken einzugehen.

Jeff Shull, der Chemie- und Sciencelehrer, sagt: »Die Schüler werden wie Erwachsene behandelt. Sie haben Wahlmöglichkeiten und müssen viele Entscheidungen selbst treffen. Für die Schüler sind Selbstständigkeit und Unabhängigkeit am wichtigsten. Dazu haben wir viel im Unterricht verändert. Zunächst haben wir die geordnete Sitzordnung (in Reihen) im Klassenzimmer abgeschafft. Der Unterricht ist mehr als Diskussionsforum strukturiert, Frontalunterricht findet kaum noch statt. Auf die Gehirnforschung bezogen, bedeutet das: Die Kinder treffen die Entscheidungen und bestimmen, was und wie sie lernen.« Die Philosophie der Schule dreht sich um »Entscheidungen treffen«. Entscheidungen sind es, die die Schüler für das Lernen begeistern. Durch eigene Entscheidungen werden sie zum Lernen motiviert. Die Lehrer wollen im Unterricht Schülern die Möglichkeit geben, eigene Entscheidungen zu treffen. »Dafür müssen sie lernen, was es bedeutet, Verantwortung zu übernehmen. Aber sie müssen auch verstehen, was passiert, wenn sie die Verantwortung, zu lernen, nicht übernehmen. Wir Lehrer verstehen uns als ein Unterstützungssystem.«

Jedes Semester bilden die Schüler aller Altersgruppen Forschungsgruppen und wählen ein Langzeitforschungsprojekt. Sie gestalten ein Experiment, um eine Hypothese zu stützen. Dadurch, dass sie ihre Ideen prüfen und Daten sammeln, vertiefen sich die Schüler so sehr in ihr Projekt, dass sie fast vergessen, dass sie in der Schule sind. Sie vergessen sogar manchmal, dass sie lernen. Manchmal entwickeln sie direkte Anwendungen, manchmal testen sie auch nur neue, kreative Ideen. Das Gefühl, dass es ihre eigenen Projekte sind, bringt die Schüler in eine neue Dimension des Lernens, die über bloße Datensammlung und Datenanalyse hinausgeht.

Eine jüngere Lehrerin sagt: »Wenn die Schüler die Antworten finden, hat es viel mehr Bedeutung und bleibt viel besser haften. Sie merken sich so die wichtigen Dinge, die sie lernen sollen, viel besser als durch langweilige Lehrervorträge.«

Für die Schüler bedeutet dies Freiheit. Hinter dieser Freiheit steckt jedoch eine große Verantwortung. Das Geheimnis ist, dass die Schüler durch mehr Eigenverantwortung höher geordnetes Denken lernen und Fähigkeiten entwickeln, die sie im Leben brauchen können. Dies entspricht ihnen, und sie drücken es so aus: »Ich weiß, dass es mir in der Zukunft hilft und dass ich alles einmal später wirklich brauchen kann. Ich lerne hier, unabhängig zu denken. Auch habe ich schon sehr viel gelernt, wie man das Wissen mithilfe einer guten

Präsentation anderen vermittelt. Diese Schule hier hat mich völlig verändert, auch persönlich, meine ich.«

Die Schüler wachsen hier, über bloße schulische Leistungen hinaus. Sie lernen Risiken einzugehen, Fehler zu machen und aus ihnen zu lernen. Das macht sie selbstbewusster, sich später auch einmal im Berufsleben durchzusetzen.

Jeff Shull fasst es so zusammen: »Das Wichtigste ist, dass die Schüler lernen, wie man umfassend denkt. Sie lernen auch, wie man seine Ideen richtig präsentiert, wie man Probleme löst, und vor allem, wie sie ihre eigenen Ideen mit einem Problem verbinden.«

Während des Forschungsaufenthalts in Idyllwild habe ich mich intensiv über die Macomb Academy of Arts and Sciences informiert und sie besucht. Ich habe mich auch mit Jeff Shull ausgetauscht. In einem persönlichen Brief hat er mir geschrieben, was er als Lehrer über den Unterricht denkt: »Ich will, dass die Schüler in meiner Klasse Ideen und Fähigkeiten erwerben, die ihnen helfen, die alltägliche Welt zu entdecken. Ich will, dass sie ›echte Naturwissenschaft‹ betreiben können und nicht nur sinnlosen Regeln und bedeutungslosen Anleitungen in einem standardisierten Forschungslabor folgen. Genauer gesagt, ich hoffe, dass die Schüler in meinem Unterricht lernen, die nächste logische Frage aus ihren *eigenen Erfahrungen* heraus zu stellen und dann daraus einen Plan zu entwickeln, der diese Frage beantwortet und dann wiederum zu weiteren Fragen führt.« An der Macomb Academy wird *gehirngemäß* unterrichtet.

Die Ideen zur Veränderungen an dieser Schule wurden in einem langen Schulentwicklungsprozess unter anderem aus den zwölf Lehr-Lern-Prinzipien von Renate Caine abgeleitet, die ich nun vorstellen möchte.

Intelligenz ist die Fähigkeit,
sich durch Vernunft Veränderungen
anzupassen, neue Probleme zu lösen
und angemessene neue Reaktions-
und Ausdrucksmöglichkeiten zu finden.

JOAQUIN FUSTER

und es als normal anzusehen, daß das auch mit scheitern verbunden ist, denn wären wir immer nur glücklich, bliebe unsere Intelligenz uns fremd, wir brauchen

Die 12 Prinzipien

das Scheitern fürs Lernen und auch den Mut zu experimentieren bis es klappt mit einer Problemlösung.

Damit Lehrer einen besseren Zugang zur Gehirnforschung erhalten, haben Renate und Geoffrey Caine (Caine u.a. 2005) die Ergebnisse aus den verschiedensten Bereichen der Neurowissenschaften, wie Kenntnisse über Neuroplastizität, Spiegelneurone, die Einflüsse von Emotionen, Angst und Stress, die Funktionen einzelner Gehirnbereiche wie Amygdala oder Hippocampus, körperliche Funktionen, soziale Beziehungen usw. einbezogen und in zwölf verständlichen Lehr-Lern-Prinzipien zusammengefasst. Zu jedem der Prinzipien haben sie entsprechende Fähigkeiten für den Unterricht entwickelt. Die Prinzipien sind bewusst sehr offen gehalten. Lehrer sollen so die Möglichkeit haben, mit den Prinzipien im Unterricht zu spielen und durch die Erkenntnisse der Gehirnforschung angeregt selbst den Unterricht langsam zu verändern.

Ich habe es nicht leicht meine Lebensängste zu überwinden könnte aber meiner eigenen zuverlässigkeit mehr zutrauen!

67

Das Gehirn ist ein lebendiges System

Prinzip 1: Lernen ist physiologisch.
Am Lernen ist der gesamte Organismus beteiligt. Bewegung, körperliche Unversehrtheit, Nahrung, biologischer Rhythmus, Aufmerksamkeit, Beziehungen und chemische Abläufe beeinflussen jeden Gedanken. Informationen werden so in verschiedenen Bereichen des Gehirns verarbeitet. Beim Lernen werden die unterschiedlichen Bereiche miteinander verbunden.
Schüler lernen effektiver, wenn sie Erfahrungen machen, die auf natürliche Weise ihre Sinne ansprechen.

Prinzip 2: Das Gehirn ist sozial.
Es entwickelt sich viel besser im Kontakt mit anderen.
Schüler lernen effektiver, wenn Beziehungen zu anderen einbezogen werden.

Prinzip 3: Die Suche nach Sinn ist angeboren.
Sinn und tiefere Bedeutung sind wichtiger als bloße Informationen.
Schüler lernen effektiver, wenn ihre Interessen und Ideen mit einbezogen und geschätzt werden.

Prinzip 4: Die Suche nach Sinn geschieht durch die Bildung von (neuronalen) Mustern.
Schüler lernen intensiver, wenn neue Muster mit dem verbunden werden, was sie schon verstehen.

Prinzip 5: Emotionen sind für die Musterbildung wichtig.
Emotionen steuern die Aufmerksamkeit, das Finden eines tieferen Sinns und machen Erinnerungen lebendig.

Schüler lernen effektiver, wenn durch Erfahrungen tiefe Gefühle und Werte hervorgerufen werden.

Prinzip 6: Das Gehirn verarbeitet die Teile und das Ganze gleichzeitig.

Auch wenn sich das Gehirn auf Einzelheiten konzentriert, ordnet es sie gleichzeitig in größere Zusammenhänge, allgemeine Gesetzmäßigkeiten, Regeln oder Wertvorstellungen ein. Lernen wird intensiver, wenn es auf ein persönlich gesetztes Ziel ausgerichtet ist.

Schüler lernen effektiver, wenn ihre Erfahrung in eine große Idee eingebettet ist.

Prinzip 7: Zum Lernen gehören sowohl die gerichtete Aufmerksamkeit als auch die periphere Wahrnehmung.

Schüler lernen effektiver, wenn ihre Aufmerksamkeit vertieft und ein Thema aus verschiedenen Blickwinkeln gezeigt wird.

Prinzip 8: Lernen ist sowohl bewusst als auch unbewusst.

Schüler lernen effektiver, wenn sie Zeit haben, zu reflektieren, und ihr eigenes Lernen anerkennen.

Prinzip 9: Es gibt mindestens zwei Arten von Gedächtnis.

Das eine ist das Speichern und Behalten von isolierten Fakten, Fertigkeiten und Abläufen, das andere ist die gleichzeitige Aktivierung vielfältiger Systeme, um Erfahrungen sinnvoll zu verarbeiten.

Wir verstehen am besten, wenn Fakten in tiefe Erfahrungen und Erlebnisse eingebettet sind.

Schüler lernen effektiver, wenn sie durch Erfahrungen unterrichtet werden, die vielfältige Erinnerungswege zulassen.

Prinzip 10: Lernen ist entwicklungsbedingt.
Schüler lernen effektiver, wenn individuelle Unterschiede der Reifung und Entwicklung mit bedacht werden.

Prinzip 11: Komplexes Lernen wird durch Herausforderung gefördert und durch Angst und Bedrohung verhindert, was von einem Gefühl der Hilflosigkeit und Erschöpfung begleitet ist.
Schüler lernen effektiver in einer unterstützenden, motivierenden und herausfordernden Umgebung.

Prinzip 12: Jedes Gehirn ist einzigartig.
Schüler lernen effektiver, wenn ihre einzigartigen individuellen Talente, Fähigkeiten und Fertigkeiten angesprochen werden.

Diese Prinzipien zeigen, wie viele verschiedene Prozesse am Erleben und Lernen beteiligt sind. Ein Lehrer müsste lernen, alle diese Prozesse zu ordnen und mit dem Lernprozess zu verbinden.

Wenn ich die zwölf Prinzipien mit den sechs »Kernaussagen« der Society of Neuroscience vergleiche, die ich schon vorgestellt habe, dann fällt auf, dass viele der Prinzipien genau dasselbe aussagen, wie die Erkenntnisse der Society, die direkt von Neurowissenschaftlern erarbeitet wurden. Die zwölf Prinzipien beschreiben also natürliche, neurowissenschaftlich begründete biologische Rhythmen und Gesetzmäßigkeiten, wie sich das Gehirn optimal entwickelt. Sie werden durch aktuelle Forschungen immer wieder bestätigt.

Es liegt ihnen eine ganzheitliche Sichtweise von Lernen

zu Grunde, die besagt, dass alles Lernen zusammenhängt. Im Gehirn ist alles mit allem verbunden. *Ein Gedanke ist über das gesamte Gehirn verteilt.* Die Prinzipien geben uns die Möglichkeit, den Menschen und das Lernen ganzheitlich zu sehen.

Ich möchte nun für jedes einzelne Prinzip aufzeigen, aus welchen aktuellen neurowissenschaftlichen Forschungsergebnissen es hervorgegangen ist, was dies für Lernen bedeutet, und welche Konsequenzen dies für die Gestaltung einer lernförderlichen Umgebung zu Hause und im Unterricht hat.

Prinzip 1: Lernen ist physiologisch

Das Lernen an der Macomb Academy of Arts and Sciences
(S. 63) ist deswegen so erfolgreich, weil die Lehrer hier gewagt haben, den Schülern die ganze Verantwortung dafür
zu übertragen, dass sie selber bestimmen, was, wann und wie
viel sie lernen wollen. Sie haben so die Möglichkeit, sich
durch eigene Initiative und Anstrengung das Wissen aufzubauen, von dem sie überzeugt sind, dass sie es später einmal
wirklich brauchen können. Dabei werden Lernsituationen
geschaffen, die realistischen komplexen beruflichen Situationen ähneln. Genau diese realistischen, komplexen, un-
strukturierten, ergebnisoffenen lebendigen Situationen
braucht das Gehirn, damit sich, wie im realen Leben, die in
ihm stattfindenden Prozesse ganz entfalten können. Erst
jetzt werden alle Bereiche des Gehirns, wie ich bereits erwähnt habe, zu einem komplexen neuronalen Netzwerk verbunden.

Die Schüler haben an dieser Schule die Möglichkeit, aus
dem, was sie bisher gelernt haben, ein Thema auszuwählen,

das Thema auf aktuelle Probleme und Bedürfnisse der Gesellschaft (Umwelt, Technikentwicklung, neue Energiequellen, Gesundheit, Wellness, Sport) zu beziehen, Wissen auf ein bestimmtes Problem anzuwenden, sich in der Gruppe auf eine Forschungsfrage und einen Forschungsplan zu einigen. Sie lernen dabei, Probleme, die auf dem Weg auftreten, zu lösen, mehrere Lösungswege zu suchen, eine Lösung gemeinsam zu finden, eigene Gedanken und Ziele mit einem Thema zu verbinden, Streit zu schlichten, mehrere Möglichkeiten auszuprobieren, andere Aspekte und Meinungen kennenzulernen, Hypothesen aufzustellen und zu testen, mehrere Informationsquellen zu verwenden, im richtigen Moment Hilfe in Anspruch zu nehmen, Grundlagenwissen einzubeziehen, Grundlagenwissen und Erfahrungswissen zu verbinden, spezifische Arbeitsweisen des Faches kennenzulernen, technische Geräte richtig einzusetzen und zu bedienen, mit einem Experten zu sprechen, selbst etwas zu entwickeln, die Zeit richtig einzusetzen, Fragen zu stellen, die Arbeit innerhalb der Gruppe einzuteilen, eigene Gefühle mit einem Thema zu verbinden, eigene Positionen zu vertreten und zu verteidigen. Vor allem aber lernen sie, flexibel zu denken und zu handeln.

Das Gehirn ist ein flexibel sich anpassendes dynamisches neuronales System

Genauso wie bei einem tiefen Erlebnis arbeitet das Gehirn beim Lernen auf allen diesen Ebenen gleichzeitig. Das Gehirn ist ein dynamisches, flexibles anpassungsfähiges neuronales System. Seine Hauptaufgabe ist es, Probleme zu lösen und sich an neue Situationen flexibel anzupassen. Dies geschieht am besten durch selbst gesteuerte flexible Entscheidungen im Moment. Die Schüler an der Macomb Academy haben Wahlmöglichkeiten und müssen Entscheidungen selbst treffen. Nur bei selbst gesteuerten flexiblen Entscheidungen werden die verschiedenen Bereiche des Gehirns synchronisiert, zu einem Ganzen integriert. Darauf möchte ich nun genauer eingehen.

Selbstständige flexible Entscheidungen

Elkhonon Goldberg (2002) ist Neurologe an der New York University. Er beschäftigt sich damit, wie das Gehirn Entscheidungen trifft. Goldberg unterscheidet zwischen *eindeutigen und flexiblen Entscheidungen*. Bei eindeutigen Entscheidungen gibt es nur eine, nämlich die richtige Antwort. Solche Fragen werden zum Beispiel bei Quizsendungen gestellt. Bei den meisten Situationen im Leben muss ich jedoch, um eine Lösung zu finden, aus verschiedenen Möglichkeiten eine eigene Wahl treffen. Goldberg sagt dazu: »Die Entscheidungen, die wir treffen, sind ein komplexes Zusammenspiel aus der Beschaffenheit der Situation und aus unseren persönlichen Eigenschaften, unseren Bestrebungen, Zweifeln und unserer Lebensgeschichte« (Goldberg 2002, S. 114). Gerade für solche flexible Entscheidungsfindung ist das Gehirn, wie Goldberg herausgefunden hat, prädestiniert.

Wenn man den Unterschied zwischen eindeutigen und flexiblen Entscheidungen auf Lernprozesse überträgt, stellt man fest, dass im bisherigen Unterricht und in Prüfungen fast ausschließlich eindeutige Entscheidungen verlangt werden. Es gibt meistens nur eine Antwort auf gestellte Fragen, die der Schüler finden muss. Goldberg sagt dazu: »Unser gesamtes Bildungssystem beruht auf dem Lehren eindeutiger Entscheidungsfindung. (...). Strategien der persönlichen flexiblen Entscheidungsfindung werden einfach nicht gelehrt. Stattdessen muss sie sich jeder Mensch auf eigene Weise aneignen, sie durch Versuch und Irrtum persönlich für sich entdecken. Gezielte Methoden für das Lehren flexibler, der Situation angepasster Problemlösungen zu entwickeln ist eine der größten Herausforderungen für Lehrer« (Goldberg 2002, S. 122). Lernende brauchen im Unterricht die Gelegenheit zu flexiblen Entscheidungen. Genau hier sehe ich die Herausforderung, die die Hirnforschung uns im Lernalltag stellt:

Wie sieht ein Unterricht aus, der Schülern genügend Freiraum für freie Entscheidungen lässt?

Nur durch freie, selbst gesteuerte, flexible Entscheidungen werden frühe Erlebnisse mit der aktuellen Wahrnehmung und den Zukunftsplänen verbunden. Erlebnisse werden so zu bleibenden Erinnerungen, die im Moment erinnert werden können.

Der »Perception-Action Cycle«

Das Treffen der richtigen Entscheidung im Gehirn hängt, wie bereits erwähnt, damit zusammen, wie jemand auf neue Informationen reagiert. Es hängt damit zusammen, wie ich

Gedanken in Handlung umsetze. Handlung in diesem Sinne bedeutet nicht nur sichtbare motorische Bewegungen, sondern auch »Bewegung« von Gedanken in Form von Ordnen und Planen.

Joaquin Fuster, Neurobiologe an der University of California Los Angeles, hat den Fluss der natürlichen Verarbeitung von Informationen im Gehirn von der ersten erlebnishaften Begegnung bis zur Abstraktion von Ideen und Werten und deren Umsetzung in komplexen Plänen verfolgt. Er fand dabei heraus, wie alles im Gehirn in einer bestimmten Ordnung geschieht.

Die im folgenden wiedergegebenen Forschungsergebnisse stammen aus seinem Buch »Cortex and Mind. Unifying Cognition«, das ich zum Teil ins Deutsche übersetzt habe. Auch ihn besuchte ich in seinem Labor in Los Angeles, um ihm persönlich zu sagen, wie begeistert ich von seiner Forschung bin. Dabei erklärte ich ihm auch, wie ich seine Forschung interpretieren will, und fragte ihn, ob diese Interpretation auch seiner Vorstellung entspricht. Er antwortete darauf: »So, wie Sie das Lernen sehen, habe ich mir immer gewünscht, dass meine Ergebnisse einmal umgesetzt werden. Kinder haben die natürlichen Voraussetzungen dafür, genau so zu lernen, wie Sie es schildern und fordern.«

Caine et al. haben die Ergebnisse in ihrem »Perception-Action Cycle« bildhaft umgesetzt.

Der Abbildung 8 lässt sich deutlich entnehmen, dass das traditionelle Schulsystem kaum Raum für selbstständige flexible Entscheidungen lässt. Genau hier setzt die Kritik auch dieses Buches an.

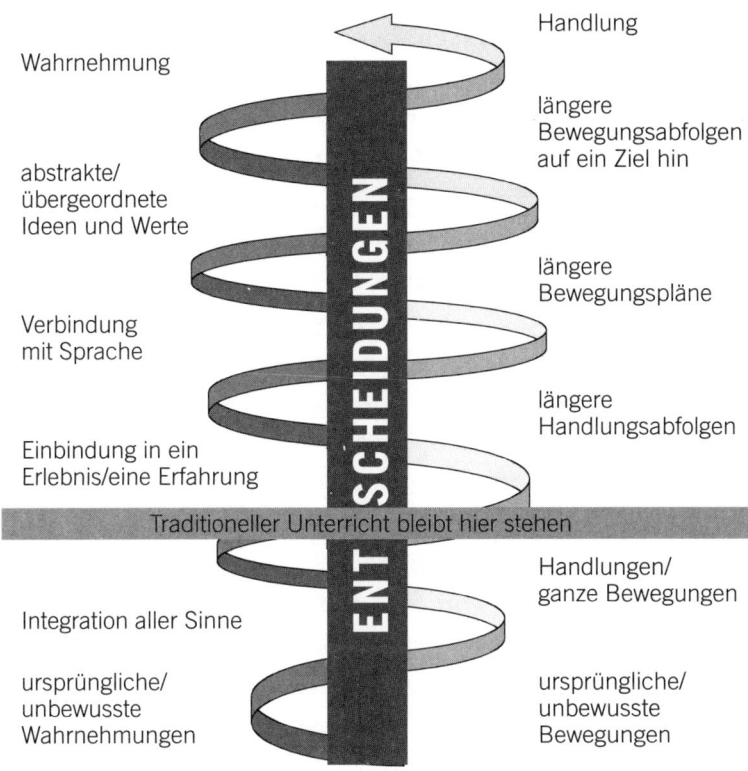

Dynamisches Lernen

Joaquin Fuster (2003, S. 213) sagt darüber: »*Intelligenz ist die Fähigkeit, sich durch Vernunft Veränderungen anzupassen, neue Probleme zu lösen und angemessene neue Reaktions- und Ausdrucksmöglichkeiten zu finden.*«

Ich möchte auf die Abb. 8 noch einmal genauer eingehen: Das Gehirn lässt sich nicht nur in zwei Hemisphären aufteilen, sondern auch in Bereiche für sensorische und für motorische Verarbeitung. Die Verbindungen auf allen Ebenen, werden durch selbstständige flexible Entscheidungen hergestellt. Das Gehirn verarbeitet so ständig (sensorische) Eindrücke zu (motorischen) Handlungen. Motorische Handlungen sind nicht nur Bewegungen des Körpers, sondern auch Bewegungen der Gedanken in Form von Denken und Planen.

Die Koordination aller Vorgänge im Gehirn geschieht im präfrontalen Kortex. Die Hauptaufgabe des präfrontalen Kortex ist es, Informationen in eine zeitliche Ordnung zu bringen. Diese Fähigkeiten, flexibel und dynamisch zu denken und zu handeln, wird von den »exekutiven Funktionen« bestimmt. Durch die exekutiven Funktionen erst wird Kommunikation über alle Ebenen hinweg möglich.

Schüler, bei denen die exekutiven Funktionen des präfrontalen Kortex ausgebildet sind, sind in der Lage,

* vorauszuplanen und auch weitere Zeiträume in ihre Planung einzuschließen;
* langfristige und kurzfristige Ziele zu setzen und diese auch zu erreichen;
* die Zeit richtig einzuteilen;

- nach sinnvollen Strategien und Informationsquellen zu suchen;
- unabhängiger zu denken und zu handeln;
- zu wissen, wie sie lernen und welchen Lernstil sie bevorzugen;
- sich selbst zu beurteilen;
- sich auch in Sozialbeziehungen zurechtzufinden;
- sich ihre Zukunft optimistischer vorzustellen.

(Caine u.a. 2005)

Das sind genau die Fähigkeiten, die bei den Schülern der Macomb Academy ausgebildet werden. In Verbindung mit den exekutiven Funktionen werden neue Informationen immer mehr mit verschiedensten anderen Informationen, wie sensorisch-motorischen, emotionalen oder motivationalen und schon gebildeten Informationen aus allen Bereichen assoziiert und zu vielfältigen Netzwerken, die über das gesamte Gehirn verteilt sind, verknüpft.

Entscheidungen im Unterricht

Gemeinsam mit Renate Caine habe ich in Idyllwild einen Fragebogen entwickelt, der Entscheidungen und die exekutiven Funktionen im Unterricht misst. Damit will ich deutlich machen, was mit »selbstständigen flexiblen Entscheidungen« im Unterricht gemeint ist. Wir haben insgesamt 56 verschiedene Entscheidungen gefunden. Daraus wähle ich einige aus:

Exekutive Funktionen: Fragebogen für Schüler
(Renate N. Caine und Margret Arnold)

Im Unterricht hast du die Möglichkeit,

☐ das Thema, das du gerade lernst, mit etwas zu verbinden, das du persönlich tun willst;

☐ in einem Projekt, das du selbst vorgeschlagen hast, zu lernen;

☐ zu entscheiden, wie lange es dauert, eine Aufgabe fertigzustellen;

☐ zu entscheiden, welche Quellen – dazu gehören auch Experten und das Internet – dir helfen, ein Projekt oder eine Aufgabe zu erfüllen;

☐ zu entscheiden, wer welche Aufgabe in einer Lerngruppe übernimmt;

☐ zu entscheiden, ob du allein oder mit anderen zusammenarbeiten willst;

☐ auf Fragen zu antworten oder ein Projekt oder eine Idee genauer zu erklären;

☐ einen Plan zu entwickeln, mit dem du ein selbst gewähltes Ziel erreichen willst;

☐ Strategien und Arbeitstechniken herauszufinden, mit denen du den Plan erfüllen kannst;

☐ Probleme, die auf dem Weg auftreten, selbst zu lösen;

☐ Kriterien für die Bewertung selbst vorzuschlagen;

☐ deine eigene Reaktion auf eine Situation spontan zu erklären;

☐ offen zu sagen, was du verstehst und was du nicht verstehst;

☐ neue Informationen und Quellen auf dem Weg mit einzubeziehen;

☐ darüber zu sprechen, welchen Wert du einem Problem zuerkennst;

☐ Freude und Begeisterung auszudrücken;

☐ zu erklären, wo im Lernprozess du gerade bist;

☐ mit Themen zu arbeiten, die wirklich etwas mit dem Leben zu tun haben;

☐ deine ehrliche Meinung auszudrücken.

Dadurch, dass die Lehrerin oder der Lehrer Schüler immer mehr im Unterricht mitentscheiden lässt, wird alles, was wir sehen und lernen zu einem ganzheitlichen Prozess, der geistige, emotionale und sogar spirituelle Ebenen mit einbezieht. Erst, wenn wir etwas anwenden, auf etwas anderes beziehen oder kreativ umsetzen, ist die höchste Stufe der Verarbeitung erreicht. Transfer ist ein Teil des ganzen Prozesses.

Aus der Sicht des Gehirns lernen wir aus tiefen menschlichen Erfahrungen. Wir lernen und entwickeln uns immer als Menschen mit allem, was das Leben ausmacht. Beim Aufbau von komplexen neuronalen Netzwerken, d. h. bei jeder Informationsaufnahme, sind viele dieser Verarbeitungsbereiche aktiv.

Kinder lernen, wie im obigen Beispiel, wenn sie persönliche Fragen stellen, Entscheidungen treffen und diese Entscheidungen auch umsetzen dürfen. Kinder lernen, wenn das Feedback, das sie daraufhin erhalten, so verarbeitet wird, dass die Konsequenz aus dem Feedback die Basis für neue Entscheidungen ist. Einen solchen zusammenhängenden Lernprozess stellt die Abb. 9 (S. 82) dar. Das Ganze ergibt ein Bild, das einem naturwissenschaftlichen Forschungsprozess zu entsprechen scheint.

Auf Lernprozesse bezogen bedeutet das: Schülern muss ständig die Möglichkeit gegeben werden, das, was sie lernen, unmittelbar zu verarbeiten, unmittelbar in Handlung oder Sprache umzusetzen. Sie müssen Assoziationen äußern dürfen, Fragen stellen, Unsicherheiten ausdrücken, mit schon Gewusstem oder Erlebtem verknüpfen, eine geeignete Methode herausfinden, sich mit anderen besprechen, Pläne entwickeln. Kurz, sie müssen wieder lernen, ganzheitlich zu lernen.

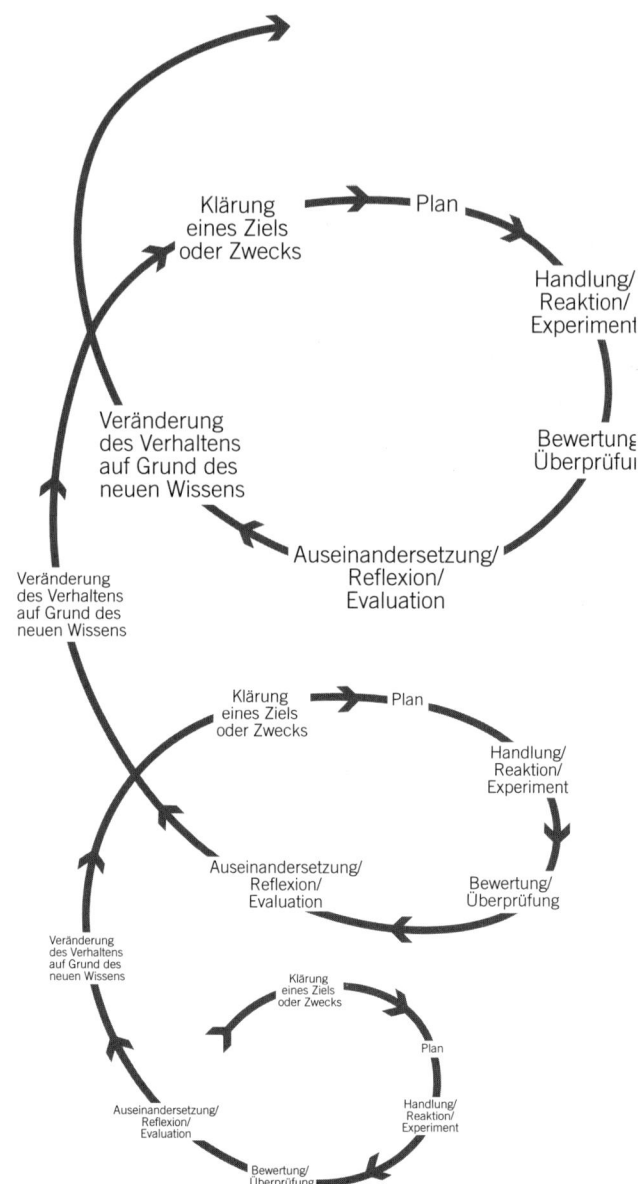

Abb. 9: Lernprozess (Costa/Kallick 2004)
© Costa, A. and Kallick, B. (2004)

»Attunement« – auf die Kinder eingehen

Als Folge des Wissens um die Zusammenhänge im Gehirn müssten Lehrer mit einer ganz anderen Haltung den Kindern und Jugendlichen, die sie unterrichten, begegnen. Sie müssen an deren Gesichtsausdruck, Verhalten, an ihrer Ausdrucksweise, aus dem, was sie sagen, ablesen können, wie weit das betreffende Kind gerade ist, und dann entsprechend darauf im selben Moment reagieren können. Ganz anders formuliert: Sie müssen in Worten und Gesten einfach nur zeigen, dass sie das Kind gern haben.

Bruce Perry nennt dies »Attunement – Reading the Rhythms of the Child«[6] (auf das Kind eingehen – die Rhythmen [Regungen] des Kindes lesen). Wie einfühlsam ein Lehrer in Worten, Gesten, Körperhaltungen und Beziehungen auf die Kinder eingeht, kann beruhigend sein und zum Teilen und Lernen anregen. Auf diese Weise wird eine innere Verbindung hergestellt, die das Lernen erleichtert. Dazu muss der Lehrer die kleinen, meist unerkannten und unsichtbaren Signale der Kinder erkennen, deuten lernen und darauf reagieren.

Dazu muss sich der Lehrer ständig fragen: Wie fühlt das Kind? Ist es interessiert, aufmerksam, fähig, zu hören, was ich sage? Was ist im Moment die beste Art, diesen Gedanken, diese Idee, dieses Konzept herüberzubringen? Der Erfolg hängt also davon ab, wie aufnahmebereit das Kind gerade ist. Dahinter steht das Wissen, dass Menschen die unbewussten Zeichen anderer Menschen lesen und deuten können. Jeder Gedanke zeigt sich in Regungen im Gesicht. Ob ein Kind

---

6 www2.scholastic.com/browse/article.jsp?id=4034

etwas Neues dazulernt, ist abhängig von inneren Rhythmen, wie müde–wach, hungrig–satt, aufmerksam–abgelenkt es ist. Vor allem aber von der Bereitschaft des Gehirns, sich zu konzentrieren, d.h. aufmerksam zu sein. Alle diese Zustände können Lehrer, wenn sie genau hinsehen, an der Stimme, der Art der Bewegungen, der Zuwendung, am Ausdruck von Gedanken und Gefühlen ablesen. Dadurch, dass sie auf sie eingehen, können Lehrer Kindern helfen, aufmerksamer und offener dem Lernen gegenüber zu werden. Dies geschieht, wenn sie auf die kleinen wortlosen Signale der Kinder achten und ihnen helfen, aufmerksamer zu sein, genauer zu beobachten, genauer zuzuhören und noch mehr zu lernen.

Eine solche Beziehung zu den Schülern aufzubauen ist nur möglich, wenn die Schüler wieder lernen, den Lernstoff zu erleben.

Anregung im Unterricht

Ein Beispiel: Das Rot hebt sich deutlich vom Grün der Wiese ab. Mit äußerster Anstrengung klettert ein Marienkäfer einen Grashalm empor. Ganz oben trinkt er ganz langsam und behutsam von einem Tautropfen – und das alles in Zeitlupe und mit geheimnisvoller Musik untermalt. Der Film »Mikrokosmos« (Barratier, Mallet, & Perrin 1996) führt die Zuschauer aus der Vogelperspektive in die Froschperspektive, das heißt in den Lebensbereich oberhalb der Grasnarbe. Dieser Film zeigt aus allernächster Nähe das alltägliche Leben von Insekten auf einer Bergwiese. Insekten beim Schlüpfen, Spielen, Waschen, Kämpfen, Essen, Schlafen, Paaren und Jagen. Der Zuschauer hat den Eindruck, er sei unmittelbar dabei.

Eine Grundschullehrerin zeigt Ausschnitte aus diesem Film zu Beginn einer Unterrichtseinheit in Biologie zum Thema Insekten. Am Ende des Films herrscht für einige Momente Stille. Die Lehrerin achtet dabei aufmerksam auf jede Reaktion der Schüler, auf Zeichen von Interesse oder Begeisterung. Sie nutzt das Interesse und die Lust, die durch den Film entstanden sind, für den weiteren Lernprozess.

Die Lehrerin bittet die Schüler: »Erinnert euch an ein bestimmtes Insekt, das ihr interessant findet und über das ihr mehr wissen wollt.« Einige Schüler kennen den Namen des Lieblingsinsekts nicht. Die Lehrerin nutzt die Gelegenheit und fordert die Schüler dazu auf, den richtigen Namen im Internet, in einem Lexikon oder anderen Quellen über Insekten selbst herauszufinden. Sie schlägt nun vor: »Stellt euch vor, ihr könntet ein Insekt ›adoptieren‹ und wollt deshalb so viel wie möglich über es herausfinden. Welche Fragen habt ihr?« Die Aufgabe der Lehrerin ist es, behutsam die Fragen so zu lenken, dass die Lehrplaninhalte und die grundlegenden Fakten und Abläufe automatisch ein Teil dessen werden, was die Schüler über Insekten wissen wollen, zum Beispiel:

- Wie lange leben Insekten (wie ist das bei deinem Insekt)?
- Wie sterben sie (was ist die größte Gefahr für dein Insekt)?
- Welche Insekten sind in der Insektenwelt am nächsten miteinander verwandt (wie sieht die Familie deines Insekts aus)?
- Wie bewegen sich Insekten fort (fliegt dein Insekt, krabbelt es oder schwimmt es)?
- Wie schnell bewegen sich Insekten fort (und wie schnell bewegt sich dein Insekt)?

Die Lehrerin achtet dabei genau darauf, wie die Schüler auf ihre Fragen emotional reagieren. Oft entsprechen diese emotionalen Reaktionen denen, die sie schon beim Ansehen des Filmes gezeigt haben. Oder die Schüler erinnern sich, wie sie ein Insekt schon einmal selbst beobachtet haben.

Die Lehrerin hilft den Schülern nun, das, was sie wahrgenommen haben, auch auszudrücken. Dabei dürfen sie auch lachen oder etwas witzig finden. Durch gezielte Impulse hilft sie den Schülern, noch aufmerksamer zu werden, immer mehr Details zu erkennen und auch auszudrücken. Sie hilft ihnen, Assoziationen zu bilden. Die Schüler erkennen dabei einen Unterschied zwischen dem, was sie schon wissen, und dem, was sie noch nicht wissen. Die Lehrerin hilft ihnen auch, zuzugeben, wenn sie sich etwas nicht erklären können. In einem natürlichen Prozess regt sie dann die Kinder dazu an, das, was sie wissen wollen, in Fragen auszudrücken. In ihren Bewegungen zeigen sie immer größere Neugier. Die Lehrerin nutzt diese Neugier und hilft den Schülern, immer mehr eigene Fragen zu stellen. Anstatt die Fragen gleich zu beantworten, zeigt sie den Kindern, wo sie mehr über die Fragen herausfinden können. Dazu stehen im Klassenzimmer die vielfältigsten dem Alter entsprechenden Quellen zum Thema Insekten bereit: Spiele, Internet, Lexika, Themenhefte, Tafeln, Karten, Bilder, Zeitschriften, Bücher.

Daraufhin hilft sie den Kindern, eine Frage als Forschungsfrage auszuwählen. Auf dem Weg der Forschung haben die Kinder die Möglichkeit, viele Entscheidungen selbst zu treffen, sie müssen eine Frage selbst auswählen, die vielfältigen Quellen zur Erforschung kennenlernen, sie müssen entscheiden, wer zu ihrer Forschungsgruppe dazugehört, wie die Arbeit innerhalb der Gruppe aufgeteilt wird, wie sie die Ergebnisse zusammenfassen und präsentieren. Die Aufgabe der Lehrerin ist es, diesen Prozess zu begleiten. Je nachdem, was die Schüler gerade brauchen, hilft sie ihnen, eine Quelle passend zu ihrer Frage zu finden, Informationen richtig zu entnehmen, die Informationen in eigenen Worten zusammenzufassen und auf die Frage zu beziehen, mehrere Informationsquellen zu verwenden, sich auf eine Frage zu konzentrieren. Sie unterstützt und intensiviert aber auch die Arbeit in der Gruppe. Sie achtet darauf, dass die Kinder das, was sie sagen wollen, prägnant ausdrücken, sie hilft bei der Aufteilung der Arbeit innerhalb der Gruppe, sie hilft, Arbeitsabläufe zu vereinfachen, gibt Tipps, wie man Ergebnisse besser zusammenfassen und präsentieren kann. Dabei hält sie die Schüler durch gezielte Fragen und Impulse immer wieder dazu an, auf noch mehr Details zu achten, sich noch mehr zu konzentrieren, auch andere Aspekte mit einzubeziehen, neue unbekannte Quellen zu erschließen, die Ergebnisse der anderen Gruppen zu nutzen, andere Formen der Darstellung, wie Gedichte oder künstlerische Ausdrucksformen, mit einzubeziehen. Auf diese Weise hält sie den Forschungsprozess in Schwung.

In der Klasse ist es deswegen notwendig, Schülern mehr Raum für das Treffen von eigenen Entscheidungen zu geben, bei denen Inhalte mit den entsprechenden »Forschungsmethoden« und allen ihren Konsequenzen verbunden werden. Schülern muss mehr Freiheit gegeben werden, solche Methoden auszuwählen, sich die Mitglieder einer Arbeitsgruppe auszusuchen, über die Forschungsfrage und das Ziel, das sie verfolgen wollen, zu entscheiden, einen Plan zu entwickeln, die Zeit einzuteilen, und schließlich den Plan auch inhaltlich zu verwirklichen. Für den Unterricht bedeutet das: Schülern dafür verschiedene Möglichkeiten anzubieten.

Zum Beispiel:

- Erfahrungen mit allen Sinnen zu machen;
- Verbindungen zu schon Gelerntem und zum realen Leben herzustellen;
- Fragen zu stellen und Forschungsprojekte zu planen und zu organisieren (dazu gehört auch, Methoden der Informationsbeschaffung kennenzulernen);
- etwas Neues und für den Lernenden Unbekanntes zu entwickeln;
- ein neues Produkt herzustellen, das neue Informationen zusammenfasst und das dann beurteilt und bewertet werden kann.

Auf diese Weise entstehen reiche, flexibel anwendbare neuronale Netzwerke. Lehrer müssen im Unterricht diesen aktiven Umgang mit Lerninhalten zulassen.

Wie Lehrer diese neue Art der Unterrichtsgestaltung erleben, möchte ich in einem abschließenden Zitat hervorheben. Ein Lehrer, der diese Art, zu unterrichten, schon jahrelang praktiziert, sagt:

»Die Schüler und ich erzeugen den Moment gemeinsam.«

(CAINE/CAINE 1997)

Im Unterricht die Erfahrungen einfach begleiten

Renate Caine (Caine u.a. 2005) hat den »Perception-Action Cycle« auf die Gestaltung von Lernprozessen im Unterricht übertragen:

1. Globale Erfahrung

Am Anfang der Einführung von neuen Inhalten steht dabei immer eine Erfahrung, bei der Lernende mit allen Sinnen und mit der ganzen Person beteiligt sind, eine »global experience«, eine ganzheitliche Erfahrung. Damit ist eine Erfahrung gemeint, die alle Sinne aktiviert und die Schüler emotional mit dem Thema verbindet. Eine globale Erfahrung kann eine wirkliche Erfahrung im normalen Leben sein, ein Video oder eine vom Lehrer arrangierte Situation. Sie ist vergleichbar mit Copeis »originaler Begegnung« (Copei 1930) oder mit situativem Unterricht. Eine »global experience« ist ein Ereignis, das die Schüler auf vielfältige Weise mit einbezieht und ihnen hilft, echtes Interesse zu zeigen und eine emotionale Beziehung zum Thema aufzubauen.

Sie kann vielfältig gestaltet sein, durch

- eine ansprechende Geschichte,
- eine innovative Präsentation,
- eine Spielszene,
- moralische Dilemmageschichten,
- Projekte,
- Videoclips,
- Kunst,
- Musik,
- Gedichte,
- Übungen zu persönlichen Einsichten,
- offene Gesprächsrunden.

2. Entscheidungen und Fragen der Schüler

Um auf diese Erfahrung hin das Gelernte zu konsolidieren und zu festigen, müssen Schüler das Erfahrene mit dem verbinden, was sie schon kennen und wissen. Dies zeigt sich in spontanen emotionalen Reaktionen und in spontanen Fragen, die Schüler stellen, wie »Was bedeutet das für mich?« oder »Kenne ich das schon?«. Solche Fragen drücken die natürliche Neugier von Schülern aus. Diese Fragen unmittelbar zu beantworten wäre jetzt der falsche Weg. Neugierde muss der Antrieb für das weitere Lernen sein und bleiben. Wenn der Lehrer gleich die Antworten gibt, denken die Schüler, dass es ›richtige‹ und ›falsche‹ Antworten gibt. Das heißt, sie investieren keine Energie darin, mehr herauszufinden. Auf das Lernen bezogen bedeutet das: Schüler erzeugen keine innerliche Reaktion auf das zu Lernende, und so wird verhindert, dass Verbindungen im Gehirn zu den (motorischen) Bereichen, wie oben erwähnt, und für Planung und (gedankliche, sprachliche, motorische) Handlung gebildet werden. Dadurch wird Lernen verhindert.

3. Tiefer gehende Untersuchung durch Erforschung und Projekte

An dieser Stelle muss, wie beim obigen Beispiel, der Lehrer die Fragen ernst nehmen und die Schüler dazu ermutigen, selbst nach sinnvollen Antworten zu suchen. Entscheidungen werden dann getroffen. Sie helfen, die echten Schülerfragen mit Methoden zu verbinden, die mehr darüber herausfinden. Die Schüler entscheiden selbst, welche Frage sie weiterverfolgen wollen, mit wem sie zusammenarbeiten wollen, welche Methoden und Medien sie verwenden, wie viel Zeit dazu nötig ist, wie sie die Ergebnisse zusammenfassen und präsentieren, wie sie die Ergebnisse kreativ weiterentwickeln. Die Aufgabe des Lehrers dabei ist, Vorschläge zu machen, kritische Fragen zu stellen und den Schülern zu helfen, ihre Suche zu vertiefen und auf Wesentliches zu konzentrieren, damit Lehrplaninhalte und Fertigkeiten internalisiert werden. Ab jetzt bilden Schüler Forschungsteams, benützen das Internet, befragen Experten, wozu auch der Lehrer gehört, oder laden sie ein oder verwenden andere wichtige Quellen, die ihnen bei der Strukturierung der Forschung helfen, und sammeln wichtige Daten und Informationen. Auf diese Weise bleibt das Gehirn offen für den weiteren Lernprozess.

4. Konsolidierung und abschließende Bewertung

Danach müssen den Schülern Gelegenheiten gegeben werden, die gefundenen Ergebnisse zu präsentieren. Das verlangt von den Schülern, das bisher Gelernte anzuwenden, um daraus dann etwas Neues oder Einzigartiges zu entwickeln. Dies kann als Projekt, als Demonstration, Interaktion oder Anwendung gestaltet sein. Alles, was die Schüler vorhaben, sollte klar strukturiert und durchgeplant sein, sollte eine klare Zeiteinteilung aufweisen und auch Möglichkeiten bieten, dies zu üben. Die Forschung oder das Projekt sollte ein Übungsfeld sein, flexibel zu denken, neue Ideen an vorhandene Ideen, an Ideen anderer und an neue und unerwartete Informationen anzupassen.

*Ist schwierig aber
lernenswert auch,
mit Menschen, die
nur andere Probleme
wie man selbst – haben*

Prinzip 2: Das Gehirn ist sozial

Sie sind die Publikumslieblinge in jedem Zoo. Sie flitzen umher, machen plötzlich Männchen, verschwinden in Erdlöchern und tauchen genauso schnell wieder ganz woanders auf. Die kleinen drolligen Kerlchen haben einen Namen: »Erdmännchen«. Erdmännchen leben in Clans, in Großfamilien, in der Kalahari im Süden Afrikas. Sie stehen gemeinsam auf, einer hält meistens Wache, während die anderen nach Futter suchen. Erkennt er eine Gefahr, warnt er sofort. Je nachdem, wie groß die Gefahr ist, reagieren auch die anderen Familienmitglieder. Genauso sozial geht es bei der Nachwuchsversorgung zu. Die Weibchen bringen die Jungen zur Welt und säugen sie, aber auch die Männchen dürfen als Babysitter für einige Stunden die Mutterrolle übernehmen. Gemeinsam gehen die Erdmännchen auch gegen ihre Feinde vor: Bei einem Angriff aus der Luft verschwinden sie blitzartig, bei einem Angriff einer anderen Erdmännchengruppe rotten sie sich zusammen, sträuben die Haare und rücken hüpfend in einer Art Kriegstanz gegen den Feind vor.

Unter »Und täglich grüßt das Erdmännchen«[7] heißt es bei Wikipedia:

»Big Brother in der Kalahari-Wüste: Die Hauptdarsteller sind 30 Zentimeter hoch, bewohnen unterirdische Höhlen und ernähren sich von Würmern, Insekten und Eidechsen. Diese Dokumentarserie beobachtet das alltägliche Leben der Whiskers, einer Gruppe von Erdmännchen aus der Kalahari: fressen, schlafen, streiten, lieben, Kinder bekommen und sterben. Es ist fast wie bei uns Menschen. Ganz nebenbei sind die Erdmännchen auch noch komisch, liebenswert, neugierig und vor allem sehr telegen.«

Das Leben der Erdmännchen wird in der von Wikipedia angesprochenen Dokumentarreihe menschlich und lebensnah erzählt. Das Gehirn ist sozial. Es ist darauf angelegt, die Welt, wenn man so will, menschlich zu sehen. Auf einer intuitiven Ebene verglich ich mein eigenes Leben mit dem der Erdmännchen und lernte so immer mehr über die Eigenarten dieser sonderbaren Tiere und staunte, welch komplexe menschliche liebenswerte Verhaltensweisen sie entwickelt haben.

Lernen bedeutet auch »menschliches« Werden

Mit der Entwicklung neuronaler Netzwerke streben Kinder immer mehr danach, das, was sie denken und empfinden, richtig auszudrücken, etwas richtig einzuschätzen, zu bewerten, jemanden zu beurteilen, was sie gelernt haben, in eigenen Worten auszudrücken, in ein Gespräch einzubringen, stich-

---

7 de.wikipedia.org/wiki/Und_täglich_grüßt_das_Erdmännchen

haltige Kritik zu üben, eine Handlung moralisch zu beurteilen, eine Regel oder ein Gesetz zu erkennen und zu beachten, auf jemand anderen einzugehen, mit anderen zusammen etwas zu erreichen, Zuneigung auszudrücken, sich für jemanden einzusetzen, mitzufühlen, Gerechtigkeit zu üben, jemand anderen von seinen Ideen zu überzeugen, eine Idee klar darzustellen, etwas zu veranschaulichen, das, was sie innerlich empfinden, mit einem Thema zu verbinden, sich mit anderen zu besprechen, auf andere einzugehen, das Leben in der Familie mit einzubringen, Streit zu schlichten, einem jüngeren Schüler etwas zu zeigen, was man herausgefunden hat, etwas auf kreative Art zu präsentieren, die Meinung anderer tiefer zu verstehen, eine eigene Idee durchzusetzen und zu verwirklichen, Beziehungen einzugehen und Beziehungen aufrechtzuerhalten.

Die Haltung, die dabei entsteht, ist »Achtsamkeit« oder Empathie. Durch die immer stärker ausgeprägte Sensibilität, auf die Bedürfnisse und Ideen der anderen zu reagieren, werden auch neue Ideen und Haltungen in das eigene Denken mit einbezogen. Dies macht offener dafür, neue Aspekte zu erkennen, andere Sichtweisen mit einzubeziehen, sich mit der Meinung anderer auseinanderzusetzen und vor allem zu erkennen, wie eng ein Thema mit dem alltäglichen Leben zusammenhängt.

Die Fähigkeit, flexibel zu denken, hängt also sehr stark von der Ausbildung dieser sozialen Fähigkeiten ab. Beziehungen zu anderen Menschen beeinflussen die Entwicklung von Struktur und Funktion des Gehirns, und auf diese Weise direkt das »klare Denken«. Lehrer müssen es lernen, Beziehungen in den Unterricht mit einzubinden, damit sie das Lernen fördern.

Der Nachhilfeschüler meiner Mutter sagt zu ihr ganz einfach: »Ich mag Sie und Sie mögen mich, deswegen lerne ich etwas.«

Ein Netz fürsorglicher Beziehungen gestalten

Aus der Sicht eines Lehrers drückt dies Jeff Shull, Lehrer an der Macomb Academy, der die Forschungsprojekte für die Schüler entwickelt hat, in einem pesönlichen Brief an mich so aus: »Um diese Ziele zu erreichen, bemühe ich mich ständig, eine dynamische Umgebung innerhalb und außerhalb der Klasse zu gestalten. Einfach eine Atmosphäre, die optimales Lernen zulässt. Eine solche Atmosphäre entsteht durch ein Netz respektvoller, fürsorglicher Beziehungen zu jedem Schüler und zwischen den Schülern. Ich werde dabei zu einem Coach, zu einer zuverlässigen Quelle, eher zu einem Beobachter als zu einem Vortragenden oder zu einem Referenten für sinnlose Fakten. Ich erwarte von den Schülern, dass sie einander und die unterschiedlichen Ideen jedes Einzelnen respektieren.«

Was geht in einem solchen Lehrer vor?
Wie äußert sich das im Verhältnis zu seinen Schülern?
Die Ergebnisse der Hirnforschung können immer mehr Antworten auf solche Fragen geben.

Verarbeitung im Gehirnstamm und im limbischen System

Wie bereits auf S. 50 ff. beschrieben, werden im Hirnstamm und im limbischen System alle Informationen verarbeitet, die mit der Aufrechterhaltung des Lebens zu tun haben, wie Wachheit, Aufmerksamkeit, Gesundheit, Erregtheit, Hunger und Durst.

Aus diesen ursprünglichen Regungen gehen auch die Fähigkeiten hervor, die uns helfen, friedlich miteinander umzugehen. An der Oberfläche zeigt sich die Einbeziehung von sozialen Emotionen direkt in Reaktionsfreudigkeit und Spontaneität der Kinder. Dies ist direkt an der Schnelligkeit der Reaktionen erkennbar und messbar (Abb. 6 und 7, S. 60), ein Zustand, der auch mit »Entdeckungsfreude« beschrieben werden kann. Dies sind nicht nur Bestrebungen, einander zu übertreffen oder Leistungen zu zeigen. Gerade im Finden von Lösungen, die sich aus Beziehungsschwierigkeiten ergeben, wächst das Gehirn.

Erst wenn Lernen mit diesen ureigensten Kräften des Menschen zu Gesundheit, Glück, Wachstum und gelingenden menschlichen Beziehungen verbunden ist, werden die Kräfte frei, die uns helfen, das Gelernte auch zu behalten und in neuen Situationen anzuwenden und umzusetzen. Sie helfen uns, uns weiterzuentwickeln. Genau dies habe ich im Verlauf meiner Forschungsarbeit herausgefunden. Erleben und Beziehungen beeinflussen direkt die Schaltkreise für Erinnern, Emotionen und Selbstbewusstsein. Dies zeigen vor allem die intensiven Verbindungen der emotionalen Zentren mit dem Hippocampus und dem präfrontalen Kortex. Geistige und soziale Entwicklung hängen somit aufs Engste zusammen.

Erst wenn diese genuinen menschlichen Ziele, nämlich zu wachsen und sich weiterzuentwickeln, mit dem Lernprozess verbunden werden, wird das Lernen zu unvergesslichen lebenslangen Erfahrungen, an denen Kinder weiterarbeiten.

Stärken von Kindern

Bruce Perry hat sechs verschiedene Stärken von Kindern herausgefunden, die für eine gesunde geistige und emotionale Entwicklung förderlich sind. Auf ihnen baut jede Art von höher geordnetem Denken und Handeln auf. Sie müssen auch in einem nach den Erkenntnissen der Gehirnforschung arrangierten Klassenzimmer wirken: Zuneigung, enge soziale Beziehungen, Selbstregulation, Angenommensein, Bewusstsein, Toleranz und Respekt.

Immer ist es wichtig, einen Schüler persönlich anzusprechen, um ihm zu zeigen, dass er in der Klasse willkommen ist. Dazu gehört auch, ihn für einen Erfolg zu loben.

Erst solch eine Umgebung bietet allen Schülern fortwährend Gelegenheiten, Erfahrungen von Kompetenz, Erfolg und Selbstvertrauen zusammen mit Motivation, die mit persönlichen Zielen und persönlichem Interesse verbunden ist, zu machen. Diese Eigenschaften sind sehr wertvoll für effektives Lernen. Zum Beispiel sollten Schüler sich Ziele setzen, Durchhaltevermögen zeigen, sich neue Methoden aneignen und mit Schwierigkeiten beim Lernen fertig werden können. Die neueste Hirnforschung bestätigt und erklärt diese Ergebnisse.

Wie sieht die Entwicklung von Selbstvertrauen, von Kompetenz, von Sinn und Ziel im Unterricht genauer aus?

Anzeichen von Selbstvertrauen

- Entscheiden sich Schüler aufgrund von Interesse an einem bestimmten Thema oder nur aufgrund von Freundschaften dazu, in Gruppen zu arbeiten?
- Tauschen Schüler freiwillig Ideen aus?
- Helfen Schüler freiwillig einem Schüler, der gefehlt hat?
- Sind Schüler offen und bereit, Vorschläge und Feedback miteinander auszutauschen?

Anzeichen von Kompetenz

- Fragen die Schüler den Lehrer um Rat oder bitten sie ihn um Feedback?
- Fühlen sich Schüler wohl dabei, Angelegenheiten mit dem Lehrer zu besprechen?
- Können Schüler Fragen beantworten und mit Problemen natürlich und effektiv umgehen?

Anzeichen von Sinn oder Ziel

- Nehmen Schüler von sich aus Arbeit mit nach Hause, um etwas fertig zu machen oder an dem Projekt weiterzuarbeiten?
- Bringen die Schüler Artikel und Informationen (Internetseiten, Fernsehsendungen) in den Unterricht mit, die etwas mit dem Thema zu tun haben, mit dem sie sich gerade beschäftigen?
- Besprechen Schüler den Unterricht, ihre Projekte und intellektuelle Themen mit anderen außerhalb des Unterrichts?

Anzeichen beim Lehrer

- Respektiert der Lehrer die Schüler?

- Gesteht der Lehrer den Schülern die Freiheit zu, nach ihren eigenen Vorstellungen vorzugehen und zu forschen?
- Hat der Lehrer hohe Erwartungen an die Schüler?
- Macht der Lehrer bestimmte Verbesserungsvorschläge, indem er auf die Meinung von Schülern eingeht, oder dazu, was die Schüler selbst zustande gebracht haben?
- Hört der Lehrer auf die Schüler und erlaubt ihnen, ihr eigenes Denken weiterzuverfolgen?
- Wendet der Lehrer Regeln der Logik an?
- Gibt es Anzeichen echter Gemeinschaft (Enthusiasmus, Lachen, das mit der schulischen Tätigkeit verbunden ist; allgemeine Atmosphäre von Begeisterung und Herausforderung)?
- Werden mehr Diskussionen als Dialoge geführt?
- Sind Schüler in der Lage, ihre Erfahrungen gemeinsam zu verarbeiten?
- Besteht Zeit, die Ursache von frustrierenden Situationen zu finden?
- Gibt es Wege, neue Gruppenmitglieder zu gewinnen?
- Ist Empathie spürbar, die sich in Handlung ausdrückt?

Eine Bildung, die alle Fähigkeiten von Kindern entwickeln will, muss die hier beschriebenen urmenschlichen psychischen Bedürfnisse und Fähigkeiten berücksichtigen. Erst wenn dieses innere Leben sichtbar wird, wird der Unterricht humaner. Die Ausbildung der Bedürfnisse nach emotionalem, sozialem, körperlichem und geistigem Wachstum fördert intrinsische Motivation. Dann erst werden Kräfte frei, die Kindern helfen, über sich hinauszugehen, kreativ zu sein und das Gelernte in ihr eigenes Leben zu übersetzen. Erst dann entsteht so etwas wie echte menschliche Freiheit.

Das Leben hat nur ganz genau so viel Sinn,
als wir selber ihm zu geben imstande sind.

HERMANN HESSE

tracen als Hilfsmitt
klappte aber auch nicht

Prinzip 3: Die Suche nach Sinn ist angeboren

An der Tafel steht das Wort »auseinandergerissen«. Die Lehrerin liest ein Gedicht vor, das in wenigen Schlagworten Gefühle beschreibt, wenn ein Mensch verlassen wurde oder Heimweh hat:

sich umarmen
einander festhalten
für Minuten –
dann bist du gegangen

Dann fragt sie die Schüler: »Habt ihr auch schon einmal eine solche Situation erlebt und denkt manchmal daran? Versucht einmal, dies selbst in einem Gedicht mit nur ganz wenigen Worten auszudrücken.« Daraufhin beschreiben die Schüler ein solches Trennungsgefühl.

Zunächst hört es sich wie ein Sprechgesang an, wenn die Schüler und die Lehrerin ihre selbst gemachten Gedichte vor sich hinmurmeln. Danach erzählen einzelne Schüler genauer, warum sie dieses oder jenes Gedicht geschrieben haben. Die Gedichte werden dann für alle zum Lesen ausgelegt: »Als meine Mama meinen Papa verlassen hat«, »Als meine Freundin weggezogen ist«.

In den Momenten der Ruhe, die danach entstehen, lesen die beiden Lehrerinnen anschließend bewegende Sequenzen aus Tagebüchern von Soldaten aus dem Zweiten Weltkrieg. Die Schüler hören regungslos zu. Intuitiv erkennen sie, was »auseinandergerissen« bedeutet. Die in den Tagebüchern beschriebenen Gefühle von Heimweh und Trennung gleichen ihren eigenen. Die Lehrerinnen nutzen die Situation und sagen: »Diese Soldaten kämpften im Zweiten Weltkrieg.« Mit monotoner Stimme tragen die Lehrerinnen dann die Fakten über den Krieg und die Schlachten vor. Die genauen Daten und Ereignisse werden am Tageslichtprojektor gezeigt. Die Schüler erfahren auch, was mit den Soldaten, die die Tagebücher geschrieben haben, geschah. Danach herrscht betroffene Stille.

In diese Stille hinein fragen die Lehrerinnen unvermittelt: »Welche Fragen habt ihr?«

Die Reaktionen sind überwältigend. Die Schüler sind bewegt, neugierig, bestürzt, begeistert:

- Woher kommen die Soldaten?
- Welche Schlacht war es?
- Haben sie sich freiwillig als Soldaten gemeldet?
- Warum leben sie getrennt von ihren Familien?
- Wie war die Situation auf dem Schlachtfeld?
- Wie ist die Situation zu Hause?
- Was passierte, wenn es regnet?
- Haben auch Frauen mitgekämpft?
- Wie weit mussten die Soldaten marschieren?

- Wie ist der Krieg entstanden?
- Gab es noch andere Schlachten?
- Wer ist der Feind?
- Wie ist der Krieg ausgegangen?
- Was hat der Krieg bewirkt?

Die Fragen der Schüler bilden die Grundlage für den folgenden Forschungsprozess. Tagebücher, Kriegsberichte, Zusammenfassungen, Geschichtsbücher, Atlanten usw. liegen auf dem Tisch. Die Schüler teilen sich in »Forschungsteams« auf, um eine von ihnen gewählte Frage zu beantworten. Informationen werden gesammelt. Die Lehrerinnen helfen, die Aufmerksamkeit auf die bedeutenden Aspekte zu lenken. Das Projekt der Klasse bestand darin, eine Zeitleiste mit den wichtigsten Ereignissen und Daten über die gesamte Dauer des Zweiten Weltkriegs zu erstellen. Einzelne »Forschungsteams« schreiben Artikel, tauschen mit anderen Gruppen Informationen aus, verfassen optisch ansprechende Zusammenfassungen und präsentieren die Informationen, die sie herausgefunden haben. Die Ergebnisse werden dann auf Stellwänden ausgestellt.

Tiefe menschliche Werte

Bei diesem Beispiel werden besonders das Gefühl, wenn man alleingelassen wird, und das Mitgefühl angesprochen. Die Kinder finden Parallelen zwischen ihren eigenen Gefühlen und dem, was ein Soldat im Zweiten Weltkrieg erlebt hat und können sich so in die Situation der Soldaten einfühlen. Danach reagieren sie mit Mitgefühl.

Die Bereiche im limbischen System für tiefe Werte wie Einsamkeit oder Mitgefühl sind direkt mit den informationsverarbeitenden Bereichen im präfrontalen Kortex verbunden. Sie bilden die Basis für Neugier und damit das Gefühl, mehr über etwas wissen zu wollen. Dies äußert sich in neugierigen Fragen, die die Kinder stellen. Durch genauere Erkundung suchen die Kinder nach Methoden und neuen Quellen, die eigenen Fragen zu beantworten. Durch den Vergleich mit dem eigenen Leben sind die Kinder aufgeschlossener und selbstständiger, sie können mehr Informationen besser aufnehmen und einordnen, gleichzeitig haben sie weniger Scheu, etwas Unbekanntes zu entdecken.

Tiefe Werte und Emotionen helfen dabei, sich etwas genauer zu merken, sich sicherer zu fühlen, noch mehr Details zu erkennen und etwas noch genauer entdecken zu wollen.

Tiefe menschliche Fragen nach dem Leben

Wann immer Kinder mit etwas Neuem in Kontakt kommen, dann stellen sie im Hintergrund Fragen:
- Was bedeutet das?
- Stimmt das überhaupt?
- Hab ich das schon einmal erlebt?
- Kann ich das jetzt brauchen?
- Kann ich das später einmal brauchen?
- Wie passt es zu dem, was ich schon weiß?
- Was ist so ähnlich?
- Gefällt es mir?
- Ist das wichtig?
- Bin ich fähig, das zu tun?

- Will ich das wissen?
- Ist das gerade aktuell?
- Wo habe ich das schon einmal kennen gelernt?
- Mag mich die Lehrerin?
- Kann ich ihr trauen?

Durch solche Fragen verbindet das Kind, das, was es gerade lernt, mit Vorstellungen, die tief in seinem Gehirn verankert sind. Sie entstammen den ursprünglichen Tendenzen des Menschen, sich zu bewegen, gesund zu bleiben, mit anderen zusammenzuleben, sich an die Umgebung anzupassen, sich körperlich und geistig weiterzuentwickeln.

Das Kind prüft so ständig neue Informationen an der Realität.

Die tiefsten Fragen, die ein Kind jetzt hat, sind:
- Was bedeutet Leben?
- Wie kann ich etwas noch tiefer und vielfältiger erleben?
- Wie kann ich meine Fähigkeiten noch mehr weiterentwickeln?

Je mehr dieser Fragen mit einem Thema verbunden werden, desto tiefer, intensiver und lebendiger wird das Gelernte im Gehirn verarbeitet.

Mit dem Leben verbinden

Das selbstständige Finden von sinnvollen Zusammenhängen gibt innere Befriedigung. Im Gehirn wird dabei der Neurotransmitter Dopamin ausgeschüttet. Dopamin bewirkt auch, dass neuronale Verbindungen gestärkt werden und dass Verknüpfungen zu weit auseinanderliegenden Gehirnbereichen hergestellt werden. Das ist die höchste Belohnung, die das Gehirn geben kann. Das Gehirn belohnt sich selbst.

Je mehr Kinder ihre Erkenntnisse mit der Ahnung und der Neugier auf das Leben verbinden, desto fester sind die Verbindungen, desto reicher und flexibler ist das Lernen.

Sinn mit dem Lernprozess verbinden

Es gibt jedoch noch viel mehr Sinne, die das Gehirn ausbildet:

Die Fähigkeit, eine Aufgabe genau zu erledigen, eine Arbeit zu planen und bis zum Ende durchzuführen, sich selbst ein Ziel zu setzen und es auch zu erreichen, etwas weiterzuentwickeln, nach etwas Bestimmtem zu suchen und es zu finden, sich selbst einer Aufgabe zu stellen, einen eigenen Anspruch, etwas zu leisten, zu erfüllen, bei der Arbeit immer selbstständiger zu werden, eigene Schlussfolgerungen zu ziehen, etwas zu erfinden, jemandem zu helfen, einen Gedanken weiterzuverfolgen.

Der Lehrer muss helfen, die innere Suche nach Sinn und das Streben, selbst etwas herauszufinden, auszudrücken oder umzusetzen und mit dem Thema zu verbinden. Auf diese Weise unterstützt der Lehrer die Schüler beim Denken. Dies geschieht dann, wenn er hilft, dass die Schüler Alltägliches mit einem Thema verbinden. Er erweitert so ihr manchmal noch enges Denken, fügt einen weiteren Aspekt hinzu. Er hält sie durch Impulse an, noch mehr zu finden oder noch genauer zu beobachten, ein Beispiel hinzuzufügen, auf Details einzugehen, auf etwas anderes zu übertragen. Während des Forschens hält er sie dazu an, die richtige Sprache zu finden, Fachwörter richtig einzusetzen, durchzuhalten, an ein Erlebnis zu denken. Der Lehrer hilft, abstrakte Sprache lebendiger zu gestalten, etwas in eigenen Worten auszudrücken, in einem Satz zu sagen.

So unterstützt er direkt das, was die Schüler denken. Er hilft ihnen gleichzeitig, noch aufmerksamer zu sein und sich noch stärker zu konzentrieren.

Die Augen vertrauen nur sich selbst;
die Ohren den anderen;
nur das Herz sieht die ganze Wahrheit.

AUS NIGERIA – VOLK DER IBO

Prinzip 4: Die Suche nach Sinn geschieht durch die Bildung von neuronalen Mustern

Vor einiger Zeit besuchte ich in Immenstadt im Allgäu eine Ausstellung des Malers Johann Georg Grimm (1846–1887). Er ist im Allgäu geboren und aufgewachsen und erarbeitete sich dann eine Stelle als Professor für Freiluftmalerei an der Akademie der Schönen Künste in Rio de Janeiro. Er setzte dort durch, dass die Bilder nicht im Atelier, sondern unter freiem Himmel entstanden. Viele seiner Bilder sind auf Reisen in die Mittelmeerländer und nach Brasilien entstanden. Es sind fast ausschließlich Naturdarstellungen: schroffe Felsen, abenteuerliche Schluchten, versteckte Quellen, weite mediterrane Landschaften.

Vor der Ausstellung hatte ich noch nie etwas von ihm gehört. Als ich durch die Ausstellung ging und alle Bilder mit den Augen streifte, nahm ich zunächst die intensiven Farben und Kontraste wahr, das tiefe Blau des Himmels, das dunkle Grün der überhängenden Pflanzen, das helle Orange der Felsen am Meer. Auch die natürlichen Formen fielen mir auf, wie die überhängenden Äste, die vielen Schichten eines Bergwal-

des, die Ruhe des Meeres und die Wildheit der schroff aufra-
genden Klippen, das Spiel von Licht und Schatten im Wald.
Auf den ersten Blick kamen mir die Bilder düster, etwas naiv
und posterhaft vor. Immer wieder suchte ich intuitiv nach
gleichartigen, wiederkehrenden Mustern in den Bildern. Ich
suchte nach einem Stil, nach etwas, was den Maler individuell
ausmachte. Dazu verglich ich innerlich diese Bilder mit allen
anderen Naturdarstellungen, die ich kannte, wie von Caspar
David Friedrich, William Turner oder Cézanne. Die Bilder
von Grimm waren naturalistisch, realistisch, aber auch etwas
impressionistisch. Wenn ich sie ansah, vergaß ich fast, dass sie
gemalt waren, so lebendig schienen sie mir. Ich fragte mich:
Wodurch erreicht der Maler das? Dabei wurde ich immer ex-
perimentierfreudiger, ich erkannte die Detailgenauigkeit der
Studien, setzte die Skizzen zu den größeren Ölbildern in Beziehung. Parallel dazu brachte ich die Informationen über sein
Leben, die ich auf den Tafeln erhielt, mit den Bildern in Verbindung und erkannte allmählich eine Entwicklung.

Muster im Gehirn

Die Farben, die ich wahrnahm, die Motive, die Linien, die
Ideen, die einzelnen Informationen werden zunächst durch
die Sinne, wie Sehen, Hören, Riechen, Schmecken, aber auch
Stimmungen, Gesundheitszustand, vorheriges Wissen, eigene Erlebnisse oder verschiedene Emotionen gefiltert. Sie regen im Gehirn eine Reihe von zellulären und molekularen
Prozessen an. Dadurch werden die chemischen Prozesse innerhalb der Neuronen und neuronalen Gruppen und letztendlich die Struktur und Funktion des Gehirns verändert.

In einfachen Worten: Dadurch, dass ich das, was ich sehe, höre, rieche, schmecke, interpretiere, es mit eigenen Gedanken, Ideen, Wissen, Erlebnissen, Erkenntnissen verbinde, erhält es für mich eine Bedeutung. Ich gebe ihm einen Sinn. Je mehr davon passiert, desto mehr werden die verschiedenen Bereiche im Gehirn dazu angeregt, neuronale Verbindungen herzustellen. Dadurch, dass ich Farben, Formen, Muster verbinde, ordne und in bestimmte Gruppen einteile, entsteht im Gehirn ein neuronales Muster des ganzen Bildes. Das ist gemeint, wenn ich sage: Die Suche nach Sinn geschieht durch die Bildung von neuronalen Mustern.

Mustererkennung

Jeder Mensch wird von Geburt an mit einem Strom an Wahrnehmungen, wie Bildern, Geräuschen und Gerüchen, überschwemmt. Dazu gehört die Fähigkeit, Gerade und Kanten, Krümmungen und Bewegungen, Hell und Dunkel, Auf und Ab, einfache Gerüche und Geschmacksrichtungen, Laut und Leise zu unterscheiden und ein Grundverständnis für Zahlen und Mengen zu entwickeln. Damit wir uns in der Welt orientieren können, ist das Gehirn ständig damit beschäftigt, die Flut an Eindrücken zu ordnen, zu kategorisieren und zu behalten.

Dadurch, dass wir andere beobachten, lernen wir Verhaltensmuster von anderen Menschen, z.B. richtig zu denken, menschliche Eigenschaften und Verhaltensweisen zu zeigen, Gefühle im richtigen Moment zu entwickeln, in bestimmten Situationen richtig zu reagieren. All dies gehört dazu, wenn wir Erfahrungen verarbeiten und Erinnerungen erzeugen.

Erkunden heißt neue Muster entdecken

Babys erkennen von Geburt an Stimmen, Gesichter und Menschen. Man nennt dies auch »Mustererkennung«. Mit zunehmender Erfahrung werden diese grundlegenden Elemente, die natürlich wahrgenommen werden (natürliche Kategorien), kombiniert und zu komplexeren Kategorien wie zu Wäldern, Computern, Häusern oder Autos und Verhaltensweisen verschmolzen. Das Gehirn ist dafür geschaffen, Muster zu erkennen und zu erzeugen.

Menschen suchen nach neuen oder passenden Mustern, wenn sie etwas genauer erkunden. Mit »erkunden« ist gemeint, vorsichtig mit etwas umzugehen, es zu erkennen, zu erfühlen, zu riechen, zu schmecken, Eigenschaften auszuprobieren, die Oberfläche kennenzulernen, herauszufinden, wozu man es braucht, Gleichheiten, Ähnlichkeiten, Unterschiede festzustellen, es mit anderen Dingen zu kombinieren, Dinge nach Farbe, Größe oder Form zu ordnen. Zum Erkunden gehört auch, sensibler zu werden, auf etwas aufmerksam zu werden, etwas genau zu beobachten, sich für etwas zu entscheiden, das heißt, aus der Fülle der Reize sich auf etwas zu konzentrieren.

Aufmerksamkeit und Konzentration fördern

Lehrer können Aufmerksamkeit und Konzentration dadurch fördern, dass sie Schülern helfen, auf Details zu achten, die einzelnen Dinge genau zu bezeichnen, Einzelheiten genauer unter die Lupe zu nehmen. Damit verbunden ist auch, geometrische Figuren mathematisch genau zu beschreiben, die richtigen Fachwörter zu verwenden, etwas in der richtigen Fachsprache auszudrücken, Dinge der Umgebung zu erkunden. Lehrer können Schüler dazu auffordern, nicht nur Dinge, sondern auch Erlebnisse und Beziehungen genauer zu beschreiben, dann Gefühle damit zu verbinden und sie zu zeigen.

Lehrer können Schülern auch helfen, Dinge wiederzuerkennen, gleiche oder ähnliche Muster zu finden, Dinge einander zuzuordnen, Kategorien zu bilden, Gesetze, Regeln zu erkennen und mit Einzelbeispielen zu verbinden.

Als Nächstes können Lehrer Schüler dazu anregen, das Wahrgenommene mit Assoziationen zu verbinden, das heißt, Erlebnisse, Erfahrungen, Erinnerungen, schon Gelerntes damit zu verknüpfen, etwas in größere Zusammenhänge einzubetten, eine entsprechende Methode auszuwählen.

Montessoripädagogik: Muster erkennen trainiert das Gehirn

Besonders die Montessoripädagogik hat erkannt, wie wichtig die Mustererkennung für die Denkentwicklung ist. Schon die Materialien regen zum Betasten, Entdecken, Spielen und Lernen an. Sie erlauben intensives Üben, Wiederholung und das Finden der richtigen Ausdrucksweise durch einfache Tätigkeiten wie Ordnen, Planen und Sich-mit-anderen-Absprechen. Genauso werden die verschiedenen Ebenen des Lernprozesses angesprochen und spielerisch zusammengesetzt. Dabei werden die speziellen entwicklungsbedingten Bedürfnisse der Kinder berücksichtigt. Das ist das Bedürfnis nach

- **Ordnung:** Jedes Ding hat seinen bestimmten Platz.
- **Details:** Auf Einzelheiten achten.
- **Verwendung der Hände:** Die Kontrolle durch Berührung und Bewegung und die aktive Erkundung der Umgebung.
- **Bewegung:** Das Kind bewegt sich um des Bewegens willen, nicht um speziell irgendwohin zu gelangen.
- **Sprache:** Das Kind nimmt unbewusst die Sprache in sich auf. Dieser Prozess ist universell.

Wenn die Kinder in der Montessorischule mit Buchstaben aus Sandpapier oder dem beweglichen Alphabet umgehen, es betasten und die Laute nachsprechen, dann entwickeln sich neuronale Netzwerke, die alle diese Aktivitäten koordinieren. Durch die Wiederholung werden diese Funktionen stärker und schneller und führen dann zum Lesen oder sind Ausgangspunkt für komplexere Aktivitäten. Das Gehirn entwickelt sich ständig weiter. Emotionen helfen, die gelernten Muster sinnvoll zu verbinden.

Fähigkeiten, die die Musterbildung unterstützen

Das Institut Beatenberg ist eine Schule in der Schweiz, die gehirngemäßes Lernen verwirklicht. Die Lehrer dort haben für jedes Fach kommunikative Fähigkeiten, sog. »Kompetenzen«, entwickelt und in einem »Kompetenzraster« beschrieben.[8]

Das Kompetenzraster für Deutsch zeigt zum Beispiel die Fähigkeiten, die zum Finden und Erkennen von Mustern notwendig sind.

---

8 www.institut-beatenberg.ch/xs_daten/Materialien/kompetenzraster.pdf

Man sieht nur mit dem Herzen gut.
Das Wesentliche ist für die Augen unsichtbar.

ANTOINE DE SAINT-EXUPÉRY

Prinzip 5: Emotionen helfen bei der Musterbildung

Der Direktor einer Grundschule stellt einer dritten Klasse 500 € zur Verfügung. Die Klasse will davon ein Aquarium im Klassenzimmer einrichten. Die Klassenlehrerin nutzt diese Situation und stellt im Fach Mathematik eine Aufgabe zum Thema Addition:

»Ihr habt 500 € zur Verfügung und wollt ein Aquarium einrichten, das auch wirklich funktioniert. Geht ins Zoogeschäft und erkundigt euch, was alles dazu nötig ist und wie viel jedes einzelne Teil kostet. Macht einen Plan und schreibt zu allem, was ihr herausfindet, auch die Preise dazu. Ihr dürft den Betrag von 500 € nicht überschreiten. Findet nicht nur die Preise heraus, sondern überlegt auch, warum ihr euch zum Beispiel für die billige Pumpe entscheidet oder welche Arten von Fischen am besten passen. Findet für alles, was ihr kauft, heraus, warum es nötig ist. Am Ende muss das Aquarium auch richtig funktionieren. Der Plan der Gruppe, die am besten vorgegangen ist, wird auch verwirklicht. Das Aquarium wird dann so eingerichtet.«

Die Schüler teilen sich daraufhin in Arbeitsgruppen, die schon eingespielt sind, auf, besprechen untereinander, wie sie vorgehen. Sie finden Informationen und Preise aus verschiedenen Quellen, wie Internet, Zoogeschäfte oder Tierzeitschriften (für Kinder) heraus. Sie befragen Eltern, Bekannte und Freunde oder fragen im Zoogeschäft nach. Die Lehrerin unterstützt sie dabei, das Richtige zu finden. Jede Gruppe erstellt einen Plan und präsentiert dann die Ergebnisse in der Klasse.

Emotionen ordnen die Gedanken

In diesem Beispiel werden Emotionen auf vielfältige Weise angesprochen:

Ein Haustier zu halten ist der Wunsch vieler Kinder im Grundschulalter. Das heißt, sie sind intrinsisch motiviert, sich damit auseinanderzusetzen. Eine solche Aufgabenstellung zeigt Kindern realistisch, wie viel Arbeit, Geld und Betreuung mit so einem Haustier wirklich verbunden sind und wie viel die Eltern dafür leisten.

Für Lehrer ist es wichtig, dass die Welt der Kinder, die sie unmittelbar erleben, mit in den Unterricht hereingeholt wird. So können sie den Kindern helfen, die Erfahrungen, die sie machen, zu erweitern und zu vertiefen. Erst wenn ihre eigenen Gedanken, die Unsicherheiten, Zweifel, Fragen und eigenen Beobachtungen ernst genommen und in ein Thema mit einbezogen werden, werden neue Motivationsquellen frei, die helfen, eigene Gedanken weiterzuentwickeln.

Eine solche Motivationsquelle ist Selbstständigkeit. Die einzelnen Gruppen sind selbst dafür verantwortlich, die Aufgabe auch zu erfüllen; dazu ist es notwendig, dass sie die Arbeit genau planen: Sie müssen die Informationen selbst beschaffen, in eigenen Worten zusammenfassen und mit der Aufgabenstellung verbinden, sie müssen die Zeit richtig einteilen, die Ergebnisse zusammenfassen und in eine richtige Ordnung bringen.

Erst durch den Ansporn, eine Aufgabe wirklich erfüllen und lösen zu wollen, sich dafür echt anzustrengen, werden die Bereiche im Gehirn für Bewegung und Umsetzung mit den Bereichen für inhaltliche Verarbeitung und eine besseres Verständnis verbunden.

Durch das Begründen und Herstellen logischer Zusammenhänge werden Emotionen aktiviert. Sie stellen in Verbindung mit dem präfrontalen Kortex aus der Vielfalt an Ideen eine Ordnung her. Es entsteht ein Gefühl dafür, was wichtig ist, die Fische oder die Pumpe. Dadurch werden die einzelnen Dinge in eine Beziehung gesetzt. Durch das sinnvolle Ordnen werden die Verknüpfungen im Gehirn gestärkt.

Daneben helfen Emotionen, die durch den Umgang mit realen Verkaufspreisen entstehen, den Kindern verständlich zu machen, wozu man Addition im alltäglichen Leben eigentlich braucht. Die Kinder erkennen dabei, was Zusammenzählen bedeutet und wie wichtig es im alltäglichen Leben ist. Es entsteht so ein lebendiges Verständnis von Addition, das die Kinder leicht auf andere Situationen übertragen können.

Auch hier werden neuronale Verknüpfungen gebildet und verstärkt. Emotionen verbinden so die eigenen Ziele und Ideen der Kinder mit allen anderen Bereichen im Gehirn (Wahrnehmen, Beobachten, Denken, Prüfen, Handeln).

Neue Arbeitstechniken werden in Verbindung mit neuem

Wissen gelernt: Erfragen von Informationen, Internetrecherchen, Lesen von Artikeln, Verteilen der Arbeit, Absprechen untereinander, Präsentation der Ergebnisse.

Auch innerhalb der Gruppen müssen sich die Kinder absprechen, wie sie die Arbeit verteilen und wie sie dann die Ergebnisse zusammenfassen. Auch hier wirken Emotionen motivierend.

So verbinden sich die eigenen Ziele mit Ideen, Informationen, Arbeitsweisen, Beziehungen, Wissen und Können zu komplexen neuronalen Netzwerken.

Was ich damit sagen will: Emotionen dürfen nicht allein für sich betrachtet werden. Sie liefern die Energie für jeden Gedanken und jedes Tun:

Emotionen

* steuern die Aufmerksamkeit;
* filtern die wichtigsten Informationen heraus;
* ordnen Gedanken und bereiten sie auf eine Umsetzung vor;
* bewerten neue Informationen gemäß den zukünftigen privaten Lebenszielen;
* beteiligen sich an der Konsolidierung;
* erleichtern die Erinnerung;
* halten Beziehungen aufrecht;
* wandeln Wahrgenommenes in Handlung um;
* entscheiden, welche Reaktion in einer bestimmten Situation richtig ist;
* erhöhen die Flexibilität und Spontaneität;
* nehmen Lösungsmöglichkeiten vorweg;

- richten den Blick auf die Realität;
- sehen das Ganze;
- verknüpfen neuronale Netzwerke;
- verbinden mit körperlichen Bedürfnissen;
- verbinden mit Grundgefühlen und Stimmungen wie Erwartung, Freude, Neugier, Hoffnung, Angst, Enttäuschung, Aggressivität;
- erhöhen die Reaktionsbereitschaft;
- wirken bei der Auswahl von Handlungen mit;
- fördern bestimmte Handlungsweisen;
- treffen Entscheidungen;
- bewerten Verhalten emotional;
- energetisieren Verhalten (Wille, Begeisterung);
- unterdrücken und bewerten Verhalten (durch Furcht oder Abneigung);
- machen Erfahrungen zu einem Erlebnis;
- versetzen Gehirn und Körper in einen erhöhten Aktivitäts- und Leistungszustand;
- verbinden Gedanken.

Emotionen halten die Flexibilität aufrecht

Das bedeutet: Emotionen, die im Gehirnstamm und im limbischen System entstehen, erwecken Lernprozesse zum Leben. Sie sind die Grundlage jedes Gedankens. Sie helfen, eine Sache weiterzuverfolgen, sie lösen die richtigen Assoziationen aus, sie zeigen, wie etwas angewendet wird, sie verbinden das Lernen ständig mit dem Leben (Arnold 2002).

Diese ursprüngliche Motivation bringen Schüler zu Beginn der Schulzeit mit. Diese intrinsische Motivation darf

Schülern nicht genommen werden, sondern muss von Lehrern erhalten werden. Dies ist nur möglich, wenn Schüler die eigenen Fragen, Gedanken und Ideen äußern dürfen, sie mit dem, was sie lernen, verbinden und an der Weiterentwicklung des Lernens aktiv beteiligt werden. Sie halten die *Flexibilität* des Denkens aufrecht (Arnold 2002, S. 45).

In der Schule muss diese Flexibilität des Denkens erhalten werden. Der Lehrer muss Schülern Freiraum lassen,

- mit dem, was sie lernen, souverän, verantwortlich und flexibel umzugehen,
- herauszufinden, wie man das Gelernte im Alltag brauchen kann,
- es in eigenen Worten auszudrücken,
- es in ein Gespräch einzubringen,
- einen Standpunkt zu vertreten,
- eine neue Idee hinzuzufügen,
- eine Position in einer Diskussion zu vertreten,
- es in einer unbekannten Situation anzuwenden,
- es aus einem anderen Blickwinkel zu betrachten.

Dadurch erst werden Gedanken mit den ureigensten Zielen und Werten des Menschen, die immer auf Überleben, Zusammenleben und Weiterentwicklung ausgerichtet sind, verbunden. Durch die Verbindung mit dem Bewusstsein, mit der Suche nach Anerkennung, mit Selbstbewusstsein und mit Selbstwertgefühl, mit dem Knüpfen und Aufrechterhalten von Beziehungen, werden neuronale Verknüpfungen verstärkt, d. h., Gelerntes kann besser erinnert werden. Emotionen ordnen Gedanken und bereiten sie auf die Realisierung vor. Sie helfen uns, in der Situation richtig zu reagieren.

Förderung von Emotionen im Unterricht

Wie Emotionen wirken, zeigt sich in einem bestimmten forschenden, abwägenden Denkstil. Lehrer können Schülern helfen, immer mehr Emotionen in das Lernen mit einzubeziehen, wenn sie ihnen dabei helfen, bei einer Aufgabe durchzuhalten. Das heißt, bei einer Aufgabe von Anfang bis Ende konzentriert dabeizubleiben.

Wenn sie ihnen helfen, nicht gleich die erstbeste Lösung anzunehmen, sondern abzuwägen, zu reflektieren, andere Aspekte mit einzubeziehen oder andere zu fragen, um dann erst zu entscheiden.

Dazu gehört auch, dem Schüler zu helfen, genau und einfühlsam zuzuhören.

Lehrer können Schülern Impulse zum Weiterdenken geben, indem sie ihnen einen neuen Aspekt zeigen und sie so zum flexiblen Weiterdenken anhalten. Sie können die Schüler dazu herausfordern, eine Situation aus einem anderen Blickwinkel zu sehen, eine andere Perspektive einzunehmen, Alternativen zu finden und weitere Möglichkeiten zu erkennen.

Jeder besitzt einen persönlichen Denkstil. Er ist geprägt durch eigene spezielle Ideen, Strategien, Gefühle und Reaktionsweisen. Lehrer können den Schülern helfen, ihrem eigenen Denkstil treu zu bleiben.

Sie können den Schülern helfen, genau zu sein.

Auf diesem Weg können Lehrer Schülern weiterhelfen, die richtigen Fragen zu stellen und Probleme aufzuwerfen. Dies geschieht am besten durch herausfordernde Fragen wie: Woher weißt du das? Was wäre wenn …? Kannst du dir vorstellen, dass …?

Auch können Lehrer Schülern helfen, Wissen und schon gelernte Fähigkeiten auf neue Situationen anzuwenden und dadurch das Wissen immer mehr für andere Situationen offen und flexibel halten.

Lehrer können Schüler dazu anhalten, das, was sie herausfinden, auch klar und präzise ohne Verzögerungen und Störungen auszudrücken.

Zur Präzision gehört auch, Informationen und Daten auf allen Ebenen und mit allen Sinnen (Sehen, Hören, Riechen, Schmecken, Bewegen) sammeln zu können.

Auf dem Weg können Lehrer Schülern auch helfen, neue originelle Wege einzuschlagen, etwas Neues zu erfinden, kreativ und innovativ zu sein, zu experimentieren.

Lehrer können durch ihre Person Schülern ein Gefühl dafür geben, wie schön und befreiend das Lernen selbst ist, das ihnen hilft, auch außerhalb der Schule eigenständig weiterzulernen. Hier trifft erneut der Satz zu: »Das Gehirn belohnt sich selbst.« Auf diese Weise wird der Lehrer zu einem Coach, der ebenso von den Schülern lernt.

Eine besondere Emotion: Freude

Der Höhepunkt des Kindergeburtstags bei meiner Freundin Carolin war die Polonaise durch das ganze Haus. Es war für die ganze Gesellschaft etwas Besonderes. Ihr Vater führte die Polonaise mit dem Akkordeon an. Er war Stadtkapellmeister in Kempten, leitete damals auch die Big Band und war sehr erfolgreich. Jetzt ist er 85 und schon lange in Pension. Neuerdings dirigiert er wieder die Alt-Kemptener Swing- und Blasmusik. Die »Rentner-Band« hat den gleichen Swing und

Sound wie damals die Big Band und den gleichen Erfolg. »Ich weiß, was die Leute hören wollen«, sagt der 85-Jährige. »Das Spielen und Dirigieren machen mir wieder richtig Spaß.« Seine Augen leuchten dabei.

An ihm erkenne ich, was man bewirken kann, wenn man das ganze Leben an etwas Freude hat. Die Freude, die er beim Dirigieren und Spielen ausstrahlt, überträgt sich auch auf die Musiker.

Lernen sollte jeden Tag Spaß machen. Erst wenn Spaß, Spontaneität, Geborgenheit und Freude wieder in das Klassenzimmer zurückkehren, wird sich die Schule verändern.

Die höchsten und weitesten Gedanken, das Herstellen von sinnvollen Verknüpfungen und »Aha«-Momente beim Lernen entstehen nur in einer Atmosphäre von Spaß am Entdecken und Erforschen. Dann erst entsteht Freude am Lernen.

Lehrer können diese Freude durch ihre Person vermitteln. Wenn sie Freude am Lernen ausstrahlen, dann geht die Freude auf die Kinder über. Frau D., eine Lehrerin, die ich kenne, sagt: »Begeistern kann man jemanden erst dann, wenn man selbst begeistert ist. Erst dann kann man die Begeisterung auch an die Kinder weitergeben.« Eine Lehrerin muss zeigen, wie Lernen und eigenes Entdecken und Erforschen Spaß machen können. Sie muss die Kinder dazu ermutigen, etwas selbst zu entdecken und zu gestalten. Ein Lehrer muss den Kindern helfen, eigene Entscheidungen zu treffen, was sie lernen wollen, auf welche Weise, wie viel, mit welchem Ziel, mit wem, wie lange und wie tief. Erst dann entwickeln sich Kreativität, Selbstständigkeit und selbstgesteuertes Lernen.

Die Vernunft ist dem Menschen gegeben,
damit er sich von dem befreie, was ihn beunruhigt.

LEO N. TOLSTOI

Prinzip 6: Das Gehirn verarbeitet Teile und das Ganze gleichzeitig

Im Garten tief im Gras sitzt ein kleiner Vogel und piepst so erbärmlich, dass ich unvermittelt aus dem Fenster sehe. Er spreizt beim Piepsen immer wieder die Flügel auseinander und duckt sich ins Gras. Beim ersten Flugversuch schon eine Bauchlandung? Hat er sich verletzt?, frage ich mich. Soll ich ihm helfen? Ich warte noch eine Weile und beobachte. Ich weiß, bei unserem Nachbarn brütet ein Rotschwanzpärchen. Dann sehe ich, wie ein Rotschwänzchen mit gefülltem Schnabel herbeigeflogen kommt. Es füttert das Kleine, dann fliegt es wieder weg. Einige Sekunden später kommt ein anderes Rotschwänzchen auch mit Futter. Ich schließe daraus, dass Vater und Mutter abwechselnd das Kleine füttern. Durch das Futter wurde das Kleine stärker und konnte bald fliegen. Darüber war ich sehr froh.

Beim Beobachten läuft etwas ab, das zeigt, wie das Gehirn natürlich verarbeitet. Darüber im Folgenden.

Wahrnehmung ist aktiv

Ein Forscherteam des Max-Planck-Instituts für Hirnforschung in Frankfurt hat gemeinsam mit Forschern der Harvard Medical School gezeigt, dass das Gehirn beim Erkennen von etwas nach streng wissenschaftlichen Methoden vorgeht.[9] Sie fanden in einer Studie vom Februar 2010 heraus: Menschen bilden schon vorher innerlich Hypothesen, für die sie dann durch das Entdecken der Umgebung (das Sehen) eine Bestätigung suchen. Interessant ist, dass erst durch das »Entdecken«, also durch Suchen und Finden, die neuronalen Verknüpfungen gestärkt werden. Die Forscher schließen daraus: Die Natur hat den Menschen mit einer Vorahnung dessen, was geschieht, ausgestattet. Zuvor muss der Mensch jedoch motiviert sein. Die Belohnung dafür, das Richtige erkannt zu haben, ist eine Hebung der Stimmung. Moshe Bar, ein Neurowissenschaftler der Harvard Medical School, sagt: »Ein gesundes Gehirn arbeitet ständig mit solchen Vorannahmen. Dies hilft ihm, Unsicherheit zu bekämpfen. Gleichzeitig werden Reaktionen und Entscheidungen vorbereitet.«

Auf das Beispiel bezogen: Ich sah den Vogel im Gras. Durch seine hilflosen Bewegungen und das Piepsen war ich auf ihn aufmerksam geworden und begann zu überlegen, was mit dem Vogel geschehen ist. Zuerst stellte ich eine Hypothese auf. Ich dachte, dem Vogel sei etwas passiert. Das steigerte meine Aufmerksamkeit. Also beobachtete ich genauer, was passiert. Ich wollte herausfinden, ob der Vogel wirklich aus dem Nest gefallen ist. Ich wollte also die Hypothese an der Realität prüfen. Als ich dann erkannte, dass die Eltern

---

9   www.dana.org/news/features/detail.aspx?id=27564

immer wieder herbeifliegen und den jungen Vogel füttern, fand ich heraus, dass er sich nicht verletzt hatte, sondern einfach nur erschöpft war und später dann wieder weiterfliegen konnte. Auf diese Weise habe ich also den ganzen Vorgang verstehen können.

Lernen läuft genauso ab. Wahrnehmung ist aktiv. Was ich erkenne, ist direkt mit Bereichen im Gehirn verbunden, die mir helfen, etwas mit einem Konzept zu verbinden, es tiefer zu verstehen, es mit anderen Erlebnissen zu verbinden, direkt darauf zu reagieren und daran weiterzuarbeiten.

Lehrer müssten Schülern daher immer mehr helfen, die alltäglichen Erfahrungen, also das, was sie unmittelbar sehen, hören, riechen, schmecken, besser zu verstehen, zu verarbeiten und auf Neues zu übertragen und anzuwenden.

Schüler lernen auf mehreren Ebenen gleichzeitig

Genauso aktiv, wie Schüler im Leben lernen, lernen sie auch in der Schule. Sie lernen praktisch von allem, was sie umgibt: Schüler vergleichen, sind emotional, denken kritisch, prüfen, denken weiter, stellen Verbindungen her, lernen Abläufe und Methoden und üben diese ein, bewegen sich, handeln im Moment, erinnern sich, setzen Ziele, planen, gestalten, stellen Fragen, sind kreativ, hören unterschiedliche Meinungen und setzen sich damit auseinander, lernen von Mitschülern, haben Vorlieben, knüpfen Beziehungen, halten Beziehungen aufrecht, achten auf Verhalten, reagieren selbst, verteidigen sich, haben Träume. Alle diese Prozesse laufen im Gehirn gleichzeitig ab und werden durch Spiegelneurone miteinander verbunden. Die Schüler stellen sich innerlich Fragen:

- Was bedeutet das für mich/für die Welt?
- Kann ich das später einmal brauchen?
- Ist es gerade aktuell?
- Was wäre, wenn ...?
- Gilt das auch für ...?
- Wie wichtig ist das für ein weiteres Verständnis?
- Kann das auch auf ... übertragen werden?
- In welchem Verhältnis steht dies zu ...?
- Kann die Situation gelöst werden?

Wie kann ein Unterricht helfen, diese Fragen mit einem Thema zu verbinden? Wie kann der Lehrer das, was sie lernen, noch reicher, tiefer und lebendiger gestalten? Antworten darauf kann die Erforschung der Spiegelneurone im Gehirn geben.

Die Entdeckung der Spiegelneurone

Um die Verarbeitung von Erfahrungen zu erleichtern, hat das Gehirn einige Regeln entwickelt. Damit sind die Verbindung von Assoziationen mit übergeordneten Regeln und die Fähigkeit zur Abstraktion oder zur Verallgemeinerung gemeint. Auf diese Weise wird eine einfache Assoziation zu einem tieferen Eindruck. Darauf möchte ich im Folgenden genauer eingehen.

Wie ich schon unter »Lernen ist physiologisch« gezeigt habe, sind im Gehirn die Bereiche für Wahrnehmung direkt mit den Bereichen für Verarbeitung verknüpft. Jede Wahrnehmung, jeder Gedanke sind damit verbunden, wie ich den Gedanken einmal umsetze und anwende. Um die Handlung dann auch wirklich auszuführen, bedarf es einer Übersetzung. Diese geschieht dadurch, dass ich dem, was ich sehe, einen Sinn gebe (siehe »Die Suche nach Sinn ist angeboren«), es mit einem Plan oder einem persönlichen Ziel verbinde (Bauer 2005).

Wie steuert das Gehirn die Verbindung mit einem Plan oder einem Ziel? Genau dieser Frage ging der Neurophysiologe Giacomo Rizzolatti (Rizzolatti/Craighero 2004) mit seinem Team am Physiologischen Institut der Universität Parma nach. Er untersuchte einen Affen, der gerade beobachtet, wie jemand nach einer Nuss greift. Verblüffenderweise feuern dabei dieselben Zellen im Gehirn, die auch dann aktiv sind, wenn der Affe selbst nach einer Nuss greift – eine Sensation. Das Gehirn scheint das Erkennen fremder Bewegungen mit dem Planen der eigenen Bewegungen zu verknüpfen. Endlich hatten die Forscher die Verbindung zwischen Wahrnehmung und Bewegung gefunden! Allein die Beobachtung bewirkt im Gehirn das innere (geistige) Mitverfolgen der Bewegung, bis zu den daran beteiligten Muskeln. Die Zellen, die dabei aktiv sind, nennen die Forscher »*Spiegelneurone*«.

Spiegelneurone beim Menschen

Durch bildgebende Verfahren (PET, fMRI) entdeckten die Forscher solche Spiegelneuronensysteme auch beim Menschen. Wenn zum Beispiel jemand lebendig erzählt, lernen wir Menschen durch Zuhören und Beobachten, wie man ein Erlebnis richtig spannend wiedergibt, wie ein Satz richtig aufgebaut wird, welche Informationen wichtig sind, wie man

Wörter richtig ausspricht. Weitere Studien haben gezeigt, dass nicht nur Beobachtungen Spiegelneurone aktivieren, sondern Wahrnehmungen aller Art, auch Geräusche, Gerüche oder Bewegungen. Sogar Gefühle werden auf diese Weise gelernt.

In diesem Sinne ist Sprache nichts anderes als Worte, die mit tiefen Erlebnissen verbunden sind, in die ich beim Lernen immer mehr eindringen will.

Einen »weiten Blick« entwickeln

Schüler gehen mit einem solchen ganzheitlichen Blick an jeden dargebotenen Inhalt heran. Sie wollen erleben, was der Inhalt für ihr eigenes Leben bedeutet, wie er in der Realität angewendet wird, aber auch, wie sie ihn im Moment umsetzen und weiterentwickeln können. Lehrer müssten deshalb immer mehr Raum geben, damit Schüler einen solchen »weiten Blick« entwickeln können.

Spiegelneurone regen so direkt zur Anwendung des Gelernten an und verbinden es mit den persönlichen Fragen und Bedürfnissen der Lernenden.

Schüler lernen nur dann, wenn sie das, was sie lernen, auch wirklich miterleben. Dies ist nur möglich, wenn sie die emotionale Dimension von Inhalten auch am Verhalten des Lehrers ablesen können. Eine persönliche Beziehung zum Lehrer ist dafür die Voraussetzung.

Lehrer müssen zeigen, wie viel Spaß lernen machen kann

Lehrer dürfen sich nicht allein als Stoffvermittler sehen. Sie sind Vorbilder. Durch Bewegungen und in der Sprache drücken sie aus, wie sie zu dem Inhalt stehen; wie freudig sie ihn vermitteln, drückt aus, wie sie zu den Schülern stehen, wie stark sie ihre Entwicklung berücksichtigen. Ein solcher Lehrer ist ein Mensch, der erkennt, wie wichtig Beziehungen sind und wie stark sie das Lernen unterstützen. Deshalb muss er auf den Lernprozess und das Wissen jedes Einzelnen individuell eingehen können. Dazu gehört auch, den einzelnen Schüler zu beraten, ob er mehr oder weniger Übung oder Wiederholung braucht, wann ein Beispiel notwendig ist, wo er noch mehr Grundlagenwissen braucht. Eine Lehrerin, die »gehirngemäß« unterrichtet, ist jemand, die eine starke Beziehung zu ihren Schülern aufbauen kann. Sie ist auch jemand, die den Stoff so vermittelt, dass die Schüler spüren: Das können wir im Leben brauchen!

In einer Dorfschule sagte der Lehrer einer fünften Klasse zu seinen Schülern: »Na, wo sind denn meine Denker?« Jeder fühlte sich angesprochen.

Dadurch bekommt der Schüler das Gefühl, eine gute Beziehung zu seinem Lehrer zu haben. Der Lehrer hält die Schüler zu weiterem Lernen an. So kann er ein Vorbild sein, wie sich gelebtes Wissen bei einem Menschen bemerkbar macht und wie es ihm im alltäglichen Leben hilft, flexibel, freundlich, offen, verantwortungsvoll und selbstbewusst auf Neues zu reagieren.

Wenn der Lehrer für etwas nicht kompetent ist, kann er einen Experten, z. B. einen Handwerker, Architekten, Umweltschützer, Politiker, Bauern oder Arzt einladen. Das entspricht dem, was Spiegelneurone bedeuten. An einem Experten erkennen die Schüler, wie Erfahrung einen Menschen verändern kann. Sie bestaunen solche Erfahrung und die Kenntnisse und können so ablesen, welches Wissen für das Leben wirklich wichtig ist und was sie selbst durch Lernen erreichen können.

In einfachen Worten: Der Lehrer muss ein solches Vorbild sein, dass die Schüler das Gefühl haben, er weiß viel und er kann viel und er ist ein Profi, der im Leben steht und will, dass ich das auch lerne und dass ich das auch einmal im Leben umsetzen kann. Lehrer müssen einfach zeigen, dass sie Menschen sind, die mit der Wirklichkeit umgehen können, und dadurch Vorbilder sein.

Prinzip 7: Zum Lernen gehören sowohl die gerichtete Aufmerksamkeit als auch die periphere Wahrnehmung

Ursprüngliche Moorwiesen säumen die Straße. Wenn es geregnet hat, entstehen dort kleine Tümpel mit dunklem, moorigem Wasser. Sie sind von Schilf und Dickicht umgeben. Am Waldrand sehe ich ein Reh, es lässt sich von den Autos, die vorbeifahren, nicht stören. Dann wieder lichte Wälder mit viel Unterholz. Wenn die Sonne durchscheint, leuchtet es geheimnisvoll. Hinter den Wiesen erheben sich mächtig und glasklar die Alpen. Sie scheinen näher, als sie sind. Ich kann jede Falte erkennen. Je näher ich den Bergen komme, desto hügeliger wird die Landschaft. Auf manchen Hügeln stehen die schönen großen bayerischen Bauernhöfe.

Immer tiefer schneiden sich die Bergtäler in das Gebirge ein. Immer wieder wunderschöne Ausblicke auf schneebedeckte Berge. Sie leuchten von Weitem. Das üppig grüne Land darunter liegt friedlich da. Die kleinen Orte, an denen ich vorbeifahre, haben sich natürlich an die Erhebungen angeschmiegt. In jeder Ortschaft hat der Kirchturm eine eigene

Form, mal spitz, mal zwiebelförmig. Man kann ihn schon von Weitem sehen. Je näher ich komme, desto reicher verziert sind die Häuser. Die Ornamente der Lüftlmalerei um die Fenster und die schön geschnitzten Giebel werden immer feiner und künstlerischer und die Farben immer dezenter. Besonders fallen mir die geschnitzten Firste der Bauernhäuser auf. Plötzlich öffnet sich das Land.

Vor mir liegt ein grünlich blau schimmernder See, der ganz von Bergen umschlossen ist. Die Berghänge, Wiesen und Wälder gehen direkt in den See über. Vor lauter Bergen, Ufer und See erscheinen die Orte Gmund, Tegernsee, Rottach-Egern und Bad Wiessee wie kleine Spielzeugstädte, die an das schmale Ufer geklebt sind. Von allen Seiten kann man das Ufer des Sees direkt erreichen. Einige wenige Segelboote ergänzen das schöne Bild. Ein tiefblauer See, ganz von Natur umgeben. Ich bin so beeindruckt von dem Anblick, dass ich Mühe habe, wieder auf den Verkehr zu achten.

Der Tegernsee

Der Tegernsee ist der klarste der bayerischen Seen und einer der saubersten Seen Deutschlands. Das Wasser ist so sauber, dass man es trinken kann. Hier gibt es noch Heilquellen und Jod- und Schwefelbäder. Das Mangfalltal das sich unmittelbar an den Tegernsee anschließt, liefert das Trinkwasser für ganz München.

Durch die Nähe der Berge und die vielen Wälder ist die Luft sehr sauerstoffreich und rein. In einem solchen Klima wachsen Orchideen und viele geschützte Wildkräuter. Der Honig, der daraus gewonnen wird, ist besonders nahrhaft.

Dies gilt auch für Milch und Käse, Spezialitäten aus dem Tegernseer Tal.

In wunderschön angelegten Alleen stehen alte Baumarten, wie Ulme, Pappel, Linde, Zirbel, Ahorn, Feigenbaum, Olivenbaum oder Esche. Die Kelten haben ihnen menschliche Charaktereigenschaften zugeschrieben.

In den Bergtälern um den Tegernsee hat man bisher sechs Steinadlerpaare gesehen. Wahrscheinlich lebt dort auch ein Wolf.

Was macht die Landschaft um diesen See so einzigartig? Warum ist das Wasser so klar und die Luft so rein?

Das »Institut für Ganzheitliches Lernen« am Tegernsee

In Tegernsee in der Rosenstraße befindet sich das »Institut für Ganzheitliches Lernen«. Hier werden Lehrer in Seminaren zu Montessorilehrern ausgebildet. Das Institut leitet Claus-Dieter Kaul. Er ist ein europaweit bekannter Montessoripädagoge. Durch jahrelange Ausbildung in München und in den USA und Erfahrungen an Montessorischulen hat er eine Position erworben, die einzigartig ist in Deutschland: Die Bedingungen an Montessorischulen unterstützen die natürliche Entwicklung der Kinder.

Maria Montessori hat mit ihrer Pädagogik die Grundlage für ein neues Verständnis von Lernen und Unterricht geschaffen. Durch die Hirnforschung werden diese Erkenntnisse von Maria Montessori jetzt immer wieder bestätigt.

Das Besondere der Montessoripädagogik

Wie gelingt es der Montessorischule, die Entwicklung des Gehirns anzuregen?

Dies liegt vor allem an der familiären Atmosphäre in einer Montessorischule. Erziehung hier ist eine Verlängerung der Erziehung zu Hause. Was macht diese »familiäre Atmosphäre« aus?

Die Atmosphäre der Montessoriumgebung ist geprägt durch eine erfrischende Ordnung, eine lernförderliche Ruhe und die Konzentration auf sinnvolle Arbeit. Das Zauberwort hier heißt »Anregung«. Schon die Materialien regen zum Betasten, Entdecken, Spielen und Lernen an. Sie erlauben intensives Üben, Wiederholung und das Finden der richtigen Ausdrucksweise durch einfache Tätigkeiten wie Ordnen, Planen und sich mit anderen absprechen. Genauso werden die oben erwähnten verschiedenen Ebenen des Lernprozesses angesprochen und spielerisch zusammengesetzt.

Die Aufgabe des Lehrers ist es, die natürlichen Arbeitsrhythmen des Kindes zu unterstützen. Zudem strukturiert er die Lernumgebung, um die freien Entscheidungen der Schüler zu fördern, was sie gerade erforschen wollen. Der Schwerpunkt liegt dabei immer auf unabhängigem Lernen ohne äußeren Druck. Genau dies sind die Bedingungen, die ein Gehirn braucht, um sich optimal zu entfalten.

Bedingungen für eine familienähnliche Atmosphäre

Maria Montessori geht es vor allem darum, eine Umgebung zu schaffen, die den natürlichen Drang, zu lernen, unterstützt. Die Unterstützung beruht auf einer Reihe von festen Prinzipien, die das Handeln des Lehrers und die Gestaltung der Lernatmosphäre prägen:

- Das Lernen hilft Schritt für Schritt kognitive Strukturen aufzubauen, z. B. beim Lesen den Laut, die Gestalt, die Bewegung, die Bedeutung von Buchstaben und Wörtern miteinander zu verbinden;
- jahrgangsgemischte Altersgruppen unterstützen dabei, sich in eine Gemeinschaft einzugliedern;
- Selbstdisziplin wird angeregt;
- die Unterstützung des Lehrers geht zielgenau auf die Bedürfnisse des Kindes ein;
- die Kinder werden zu natürlichen Lehrern oder Vorbildern für andere;
- die Kinder treffen bei einem Projekt oder bei der Arbeit selbst die Entscheidungen, die dem inneren Drang nach Entwicklung und den eigenen Interessen entsprechen;
- die Materialien der Montessoriumgebung bieten dem Kind natürliche Korrektur- und Feedbackmöglichkeiten und ermöglichen es dem Kind, eigene Konzepte zu formen;
- die Kinder arbeiten an einer gewählten Aufgabe in der Zeit, die sie benötigen, um die Konzentration zu fördern;
- die Kinder lernen Verantwortung für sich selbst und für die Umwelt in respektvoller Weise;
- die Kinder dürfen sich frei bewegen, sie dürfen sich frei entscheiden, wo sie arbeiten wollen;
- die Kinder dürfen überall mit anderen über ihre Arbeit sprechen, dabei werden sie angehalten, so zu sprechen, dass sie andere nicht stören und mit ihnen in einer positiven Grundhaltung sprechen;

- die Kinder lernen alltägliches Verhalten, wie aufräumen, Tische abwischen, etwas besorgen und richtige Umgangsformen kennen;
- die Eltern werden als Partner gesehen, die die Erziehung durch Betreuung, Unterricht, Sponsoring oder sonstige Dienste unterstützen.

»Normalisierung«

Das Ergebnis ist genau das, was Maria Montessori vor 100 Jahren an den Kindern im Kinderhaus beobachtet hat. Kinder, die an einer Montessorischule erzogen wurden, ruhen in sich und sind mit sich zufrieden. Dies wird auch im Verhalten sichtbar: Sie lieben die Ordnung, sie lieben die Arbeit, lieben aber auch die Stille und allein zu sein. Sie zeigen eine tiefe Konzentration, die beste Voraussetzung für eine erfolgreiche Tätigkeit, sie sind gehorsam, haben einen Sinn für Unabhängigkeit und Initiative, sie sind spontan und selbstdiszipliniert, zeigen einen ausgeprägten Sinn für Realität und eine Freude daran, etwas zu tun.

»Montessori children are good at doing things«

Steven Hughes ist Neuropsychologe an der University of Minnesota. Seine Tochter besucht eine Montessorischule. Er, der sonst die Leistung des Gehirns neuropsychologisch misst, beschäftigt sich wissenschaftlich damit, wie die Montessoripädagogik das Gehirn anregt. Als Kenner der Gehirnentwicklung ist er begeistert von dieser Methode. Es sagt: »Die

Montessorimethode ist die Art, wie das Gehirn natürlich lernt. Montessorikinder wollen einfach tun (»Montessori children are good at doing things«).

Steven Hughes fasst in dem Vortrag »Talking Straight about Montessori Education« zusammen, welche Bedeutung er der Montessoripädagogik beimisst: »Die Montessoripädagogik ist eine auf die geistige Entwicklung des Gehirns genau abgestimmte Erziehungsmethode, die es Kindern ermöglicht, kreativ und frei zu entscheiden, wie sie Menschen, Orte und Informationen über diese Welt erforschen wollen. Sie unterstützt handlungsorientiertes Lernen, den Ausdruck der persönlichen Meinung und persönlicher Erkenntnisse der Kinder und intensiviert gemeinsames Spiel. Dies alles geschieht in einer gestalteten Atmosphäre, die von Respekt, Frieden und Freude getragen ist.«[10]

Er geht darauf genauer ein: »Die Montessoripädagogik fördert die natürliche Entwicklung des Gehirns. Jede Montessoristunde regt das Gehirn so an, dass tiefe Gedanken ausgelöst werden, und steigert die innere Zuversicht, Freude und Neugier der Kinder, damit diese urmenschlichen Fähigkeiten wachsen können. Das Gehirn wird besonders angeregt, wenn Kinder selbst entscheiden und wenn sie Menschen, Orte und Wissen selbst entdecken dürfen. Die Lehrerinnen gehen genau auf den jeweiligen Entwicklungsstand der Kinder ein und fördern ihn. Dadurch wird die ganzheitliche Verarbeitung im Gehirn angeregt.«

---

10 www.goodatdoingthings.com

»Denken ist Ordnen des Tuns«

Die Methode von Montessori entspricht Entwicklung und Aufbau des menschlichen Gehirns. Was während der Entwicklung passiert, hat Maria Montessori visionär in einem Satz erfasst:

»Denken ist Ordnen des Tuns.«

Denken und Bewegungen hängen unmittelbar zusammen. Dies führt Montessori in »Kinder sind anders« genauer aus: »Die Sensibilität für Ordnung tritt im Kinde gleichzeitig unter zwei Gesichtspunkten in Erscheinung: als Sinn für äußere Ordnung, welche die Beziehung zwischen den Bestandteilen der Umwelt betrifft, und als Sinn für die innere Ordnung, die man auch den inneren Orientierungssinn nennen könnte« (Montessori 2010, S. 66). Dazu muss das Gehirn in ständiger Interaktion mit der Umwelt stehen. Bei den Kindern wird dies durch wachsende Unabhängigkeit, koordinierte Bewegungen, Sprache und einen stark ausgeprägten eigenen Willen sichtbar.

Welche Aufgaben haben Lehrer dabei?

»Natürliches Lernen«

Im Sekundarstufenkurs bei Claus Dieter Kaul, den ich 2010 besuchte, konnten wir die neue Art, zu unterrichten, selbst ausprobieren. An diesem Kurs nahmen noch fünfzehn weitere Lehrer Teil, die an Montessorischulen unterrichten.

Am Boden liegen nach Themen geordnet Materialien aus, wie Karten, Geschichtsbücher, Zeitschriften, Reliefs, Bilder, Prospekte. Claus Dieter Kaul sagt:»Der Tegernsee ist in der Eiszeit entstanden. Durch die besondere Lage und die Nähe zu den Bergen hat sich hier eine einzigartige Landschaft entwickelt. Die Menschen, die hier leben, sind durch diese Landschaft tief geprägt, dies erkennt man an der Gestaltung der Häuser, den verschiedenen Bräuchen oder direkt an ihren Charaktereigenschaften. Warum ist der Tegernsee so besonders?

Findet das selbst heraus an

- Oberflächenformung (Tektonik): Bewegung der Erde, Entstehung der Alpen, Vulkanismus?, Natur und Landschaft des Tegernseer Tals heute;
- Klima: Wasser, Luft, Sonne, Erde, das Besondere des Klimas am Tegernsee;
- Musik und Malerei des Tegernsees: Naturphänomene und ihre Symbolik;
- Religion, Sprache und Symbole: christliche und heidnische Bräuche, Symbolik an den Tegernseer Häusern und Kirchen, Eigenart der Menschen;
- Leben auf der Erde: Pflanzen, Mikroorganismen, Tiere, Menschen. Was ist das Besondere für das Tegernseer Tal?
- Botanik und Mathematik: Urpflanzen, mathematische Gesetzmäßigkeiten der Bildung und Gestalt von Pflanzen.«

Für alle Gruppen liegen Materialien bereit.

»Findet euch in sechs Gruppen zu einem Thema zusammen. Geht hinaus an den See oder in die Stadt. Erkundigt euch und überlegt, wie ihr das erforschen wollt. Zum Beispiel beim Klima: Was wollt ihr messen? Wie kann man das Besondere des Klimas am Tegernsee erklären? Kommt dann wieder zurück, informiert euch über das Klima anhand der Literatur. Was ist das Besondere des Klimas am Tegernsee? Sprecht euch untereinander ab, wer was übernimmt. Überlegt mehrere Möglichkeiten, wie ihr das den anderen Schülern vermitteln könnt. Präsentiert dann eure Ergebnisse. Ihr habt dazu bis 16.30 Uhr Zeit.«

Aufmerksamkeit verbindet bloße Informationen mit dem Leben

Erst in einer solchen offenen, freien, zum Forschen einladenden Situation wird die Muster bildende und ordnende Kraft des Gehirns angeregt. In einer derart entspannten Atmosphäre geht das, wie ich es am Tegernsee erlebt habe, in Forschen über.

Genauso wie beim ersten Mal, als ich den Tegernsee gesehen habe. Ich bemerkte, wie sich die Landschaft verändert, allmählich erkannte ich Eigenschaften, die typisch für das Tegernseer Tal sind, ich achtete auf die Lage, das Wetter, die Autos, die Freundlichkeit der Menschen, was die Menschen zur Erhaltung der Natur tun, die Natur, die Architektur, die Straßen, die Bepflanzung in der Stadt, die Wälder, das Wasser, die Ausblicke, die Strände, die schönen Wanderwege, die Gärten der Häuser, die Bauerhöfe. All dies wird in bestimmten Schichten des Gehirns verarbeitet. Je mehr dieser Schichten ich mit einbeziehe, desto weiter und freier werden meine Gedanken.

Das Gehirn ist am besten darauf vorbereitet, das zu erforschen, was es unmittelbar umgibt. Erleben bedeutet, in immer tiefere Schichten vorzudringen und das Resultat zu einem Ganzen zu verbinden. Das Gehirn ist darauf ausgerichtet, immer weiter und tiefer in die Wirklichkeit einzutauchen und immer mehr sinnvolle Zusammenhänge zu finden. Dabei geht es von Einzelheiten, die es erkennt, aus und sucht dann in der Umgebung oder in der Literatur nach Erklärungen dafür. Je öfter diese Erklärungen durch Erfahrungen bestätigt werden, desto stabiler werden die Verknüpfungen im Gehirn. Dabei erweitert sich ständig die Vielfalt der Merkmale, die es erkennt, und die Aspekte, die es einbezieht. Eine solche ressourcenreiche Umgebung hebt die Aufmerksamkeit und lenkt den Blick auf das Wesentliche. Die Aufmerksamkeit wird höher und intensiver, wenn die Kinder eigene Gedanken und Ziele mit dem Lernen verbinden können.

Forschen am Tegernsee

Ich war bei der »Klima-Gruppe« dabei. Auf dem Weg in die Stadt haben wir besprochen, was wir alles messen können. Dabei ist uns aufgefallen, wie mild die Luft zu dieser Jahreszeit ist, auch wehte ein leichter Wind. Ich schöpfte Wasser aus dem See, es war glasklar. In Tegernsee beschlossen wir, ins Fremdenverkehrsamt zu gehen. Dort fragten wir nach Klimadaten und Mess- oder Wetterstationen.

Auf diese Weise werden im Gehirn die unterschiedlichen

Bereiche für die Wahrnehmung mit allen Sinnen integriert, die Verbindung mit Gefühlen und einer Bedeutung, mit übergeordneten Konzepten und Ideen, eigenem Wissen, Zielen und Plänen, was dann in Sprache und weiterer Forschung auf ein Ziel hin umgesetzt wird. Dabei wird immer wieder geprüft, ob das, was man herausgefunden hat, mit der Realität auch übereinstimmt. Die Kraft, die die einzelnen Gehirnbereiche miteinander verbindet, ist die Aufmerksamkeit. Aufmerksamkeit verbindet bloße Informationen mit dem Leben. Sie verbindet abstrakte Klimadaten mit dem aktuellen Klima in Tegernsee.

Aufmerksamkeit

Aufmerksam zu werden ist die Fähigkeit, sich zu konzentrieren und für Neues offen zu werden. Das Gehirn hat dafür zwei Mechanismen entwickelt: Das Beobachten der Umgebung und das Suchen nach neuen Anregungen und Informationsquellen entspricht der *peripheren Wahrnehmung*, die Konzentration auf die Einzelheiten entspricht der *gerichteten Aufmerksamkeit*. Sie werden in zwei unterschiedlichen Schaltkreisen im Gehirn verarbeitet. Auf diese Weise koordiniert das Gehirn die Reize von außen und die Reize von innen und entscheidet dann je nach Wichtigkeit oder Gefahr, auf welchen Reiz es reagiert. Die Aufmerksamkeit hilft uns also, aus der Fülle der Reize die wichtigen Reize herauszufiltern (Sonneneinstrahlung, Luft, Wärme, Wind), bewusst zu entscheiden (wir messen die Temperatur), und bereitet uns auf eine Reaktion im Moment vor (Ablesen des Thermometers der Messstation).

Wie wir uns verhalten, ist ein ständiger Wechsel zwischen der Konzentration auf Details und der Aufmerksamkeit auf die großen Zusammenhänge, was um uns herum geschieht. Auf diese Weise hat das Gehirn einen einzigartigen Mechanismus entwickelt, wie wir aus der Fülle der Reize die wichtigen Reize auswählen. Das Gehirn strebt immer eine Balance zwischen beiden an. Kinder müssen diese Koordination immer wieder lernen. Das heißt, sie müssen lernen, sich zu konzentrieren und aufmerksamer zu werden, und lernen, wie sie die vielfältigen Anregungen aus der Umwelt in ihr Lernen mit einbeziehen können.

Aufmerksamkeit ist abhängig vom Interesse, von der Neuigkeit, von Emotionen und einem tiefen Sinn für Zusammenhänge. Aufmerksamkeit hilft, dass wir uns auf das konzentrieren, was wichtig ist, was uns weiterbringt, den nächsten Schritt im richtigen Moment zu tun.

Auf das Gehirn bezogen, bewirkt Aufmerksamkeit, dass die einzelnen Gehirnbereiche zu einem komplexen neuronalen Netzwerk integriert werden. Durch Aufmerksamkeit wird uns besser bewusst, was wir wissen, gleichzeitig suchen wir ständig die Umgebung nach neuen Informationsquellen ab, die uns weiterhelfen. Dies können auch andere Menschen sein.

Dadurch wird das Interesse gesteigert, wir werden offener. Dies lässt uns eine Situation aus mehreren Perspektiven erkennen. Wir können gut unterscheiden, was schon bekannt und was neu ist. Gleichzeitig suchen wir nach Dingen in der Umgebung, die zu diesem Thema passen könnten. Es führt uns zu neuen Aspekten, durch die wir die Informationen besser verstehen können.

So entsteht im Gehirn ein immer feiner verzweigtes Wis-

sens- und Erinnerungsnetz, das immer mehr Zugangsmöglichkeiten eröffnet und in immer mehr Situationen vertieft
und erweitert werden kann. Damit verbunden ist auch, dass
wir in neuen Situationen immer flexibler und angemessener
reagieren können. Eine besonders gestaltete Umgebung unterstützt die Steigerung der Aufmerksamkeit.

Lernen aus der Alzheimerforschung

Der Forschergruppe um Li-Huei Tsai am Department of
Brain and Cognitive Sciences am MIT in Boston ist im Früh-
jahr 2009 eine Durchbruch in der Alzheimerforschung gelungen[11]: Mäuse mit Symptomen von Alzheimer haben in
diesem Experiment das Langzeitgedächtnis und die Fähigkeit, zu lernen, zurückgewonnen. Der Forschergruppe ist es
gelungen, experimentell eine Umgebung zu gestalten, die einen positiven Effekt auf Lernen und Gedächtnis hat. Die
Umgebung hat folgende Eigenschaften:

Viele Möglichkeiten,
* sich zu bewegen und etwas zu entdecken;
* aktiv Probleme anzugehen und zu lösen;
* Kontakt zu knüpfen und Beziehungen aufzubauen;
* selbst einen Plan aufzustellen und ihn zu verwirklichen;
* eigene Entscheidungen zu treffen;
* etwas in andere Lebensbereiche zu übertragen;
* kreative Lösungen zu finden.

---

11 Guan/Haggarty/Giacometti et al., Nature 2009, 459: 55–60

Dies also hatte enorme Konsequenzen. Die Gestaltung der lernförderlichen Umgebung entspricht dabei genau der »vorbereiteten Umgebung« in einer Montessoriklasse.

Noch verblüffender ist, dass dies Maria Montessori vor hundert Jahren vorausgesehen hat. Sie sagt dazu: »Nicht das Kind soll sich der Umgebung anpassen, sondern wir sollten die Umgebung dem Kind anpassen« (Maria Montessori 2005). Die Atmosphäre, die hilft, eine solche »innere Ordnung« aufzubauen, ist in der Montessoripädagogik »die vorbereitete Umgebung«.

»Die vorbereitete Umgebung«

Im Raum herrscht eine fast penible Ordnung, die Bücher in den Regalen in den Klassenzimmern sind sorgsam aufgestellt, auch die Dinge auf dem Regal sind von links nach rechts, von einfach zu komplex, von oben nach unten, von klein zu groß so arrangiert, dass auch Kinder die Ordnungsprinzipien leicht durchschauen können. Die Bücher und Materialien sind auf Augenhöhe der Kinder angeordnet. Die Kinder wissen genau, wo sie nach etwas suchen können. Wenn die Kinder ein Spiel herausnehmen, müssen sie es nach dem Spielen wieder sorgsam zurückstellen. Überall schmücken Schülerarbeiten, Bilder, Schaubilder, ein Globus oder von Schülern entwickelte Modelle den Raum. Die Regale stehen so im Raum, dass in den Zwischenräumen mehrere kleine Sitzgruppen mit Tischen entstehen, die zum individuellen Arbeiten, Besprechen oder Lesen einladen. In der Mitte öffnet sich der Raum. Hier liegt eine kreisrunde Matte für Gruppengespräche oder auch Entspannung. Jedes Kind hat seinen Arbeitsplatz und eigene Arbeitsmappen. Wenn die Kinder den Raum betreten, werden sie plötzlich ganz still – eine produktive Stille. Jeder weiß, was er zu tun hat, jeder arbeitet still weiter. Sie können sich untereinander besprechen, wenn Fragen auftreten. Der Lehrer ist eine Hilfsquelle unter vielen. Der Raum ist so konzipiert, dass er unabhängiges Forschen vom einfachen bis zu komplexen Fragen fördert. Jedes Kind soll sich in seinem eigenen Lerntempo weiterentwickeln dürfen.

Im Sinne von Montessori sollen in einer solchen vorbereiteten Umgebung alle Bedürfnisse des Kindes je nach Alter und Entwicklung berücksichtigt werden. Die Umgebung soll das Kind mit allem versorgen, was es zu seiner Sicherheit und zu seinem Wohlbefinden braucht. Der Raum soll einladend und ästhetisch ansprechend gestaltet sein. Es sollte dort Ordnung herrschen, aber er soll auch ausdrücken, was die Erwachsenen mit den Kindern vorhaben.

Dies entspricht, wie ich oben schon erwähnt habe, genau der »enriched environment« (Diamond/Hopson 1998), die die Gehirnentwicklung anregt. Stephen Hughes sagt dazu: »Die ›vorbereitete Umgebung‹ fördert am besten die exekutiven Funktionen des Gehirns« (siehe auch S. 55). Die exekutiven Funktionen sind Fähigkeiten, wie Ablenkungen zu vermeiden oder Belohnungen hinauszuzögern, um eine Tätigkeit zu beenden; oder die Fähigkeit, etwas länger im Gedächtnis zu behalten (»working memory«), oder Denkflexibilität, wie die Meinung eines anderen zu tolerieren oder sich an plötzliche Veränderungen anzupassen. Alle diese Fähigkeiten sprechen von tiefen Lernprozessen und von höherer Intelligenz. Lehrer können von der Montessoripädagogik lernen, eine anregungsreiche Umgebung selbst zu gestalten.

Eine anregungsreiche Umgebung
selbst gestalten

Eine Umgebung wie in Tegernsee bietet eine Fülle an Erfahrungs- und Informationsmöglichkeiten. Das Gehirn wird in solchen natürlichen Umgebungen am besten angeregt. Man müsste deshalb in einer Klasse ähnliche Bedingungen schaffen wie in einer natürlichen Umgebung. Lehrer tragen dazu sehr viel bei:

- Sie füllen das Klassenzimmer mit vielfältigen Materialien, die genau zum Thema passen, bei denen die Kinder richtig in das Thema eintauchen können. Dabei achten sie darauf, dass die Sprache der Entwicklung und der Verständnisweise der Kinder angemessen ist.
- Sie bieten eine Vielfalt von Materialien an: Karten, Lexika, Internet, Grundlagenliteratur, Schulbücher, literarische Texte, Zeitungsausschnitte, Folien. Die Kinder sollen dabei den richtigen Umgang mit unterschiedlichen Medien kennenlernen.
- Sie ordnen die Materialien so an, dass die Kinder eine Ordnung erkennen und dazu angeregt werden, eigenständig nach Quellen und Hilfen zu suchen. Dabei stellen sie die Materialien nicht in einen Schrank, sondern offen in den Regalen aus und beschriften sie.
- Sie verbinden ein Thema immer wieder mit den eigentlichen Interessen der Kinder.
- Sie beziehen beim Arbeiten immer wieder Arbeitstechniken und Routinen ein, die die Kinder schon kennen.
- Sie vertiefen durch eigene lebendige Vorträge wichtige Konzepte und geben Hintergrundinformationen. Sie zei-

gen den Kindern durch einen lebendigen Unterricht, was Konzentration und Freude am Arbeiten bedeuten.

- Sie strahlen aus, dass sie Freude am Unterrichten haben.
- Sie sind die Verbindung zum Leben. Sie zeigen immer wieder, wie man das Thema im Leben brauchen kann.
- Sie unterstützen das Verständnis durch Bilder, Kunst und andere kreative Darstellungen. So werden die unbewussten, visionären und kreativen Kräfte der Kinder frei.
- Sie regen die Kinder dazu an, das, was sie verstehen, auch kreativ darzustellen. Sie richten einen Bereich für Kunst ein, sodass die Kinder vollkommen in einen kreativen Prozess eintauchen können.
- Wenn die Kinder in eine Aktivität vertieft sind, werden sie dabei nicht gestört. Die Konzentration auf etwas ist wichtiger als alles andere.

Lehrer sind eigene Persönlichkeiten

Der Lehrer ist in einem solchen Rahmen eine Persönlichkeit mit einer Ausstrahlung, die auf die Kinder übergeht. Er zeigt den Kindern durch seine Persönlichkeit, wie viel Freude das Unterrichten und der Umgang mit Kindern machen.

Ein Lehrer, der »gehirngemäß« unterrichtet, ist ein Mensch, für den Lernen nichts anderes bedeutet, als sich auf das Leben vorzubereiten. Dazu versucht er, mit seinem Wissen und Können ganz auf die Kinder einzugehen. Er bemüht sich, eine Atmosphäre zu schaffen, in der der Einzelne autonom arbeiten und eigene verantwortungsvolle Entscheidungen treffen kann. Als Mensch ist er spontan und will Schülern ehrlich helfen, etwas zu entdecken und Antworten selbst zu finden. Er vermittelt durch seine Person eine lebendige Faszination für die Natur und besitzt eine innere Motivationsquelle. Er setzt dazu alle Sinne ein. Sein oberstes Ziel ist es, Kindern zu helfen, unabhängig zu denken und selbstständig zu arbeiten. Er besitzt einen inneren Instinkt dafür, wie Kinder natürlich lernen, wie sie aus dem Leben für das Leben lernen.

Ich bitte nicht um Wunder und Visionen, Herr,
sondern um die Kraft für den Alltag.
Lehre mich die Kunst der kleinen Schritte!

ANTOINE DE SAINT-EXUPÉRY

Prinzip 8: Lernen ist sowohl bewusst als auch unbewusst

Als Kind war ich sehr lebhaft, fast wie ein Junge, manchmal wie zehn Jungen zusammen, wie meine Eltern sagen. Ich hatte auch sehr viele Freunde. Besonders gerne spielten wir im Wald. Mit Christian baute ich Baumhäuser, spielte Indianer, ließ am Bach Schiffe fahren, oder wir suchten am Ufer der Iller nach Katzengold.

Auf den Streifzügen durch den Wald spürten wir die Oberfläche der Rinde der Baumstämme. Buchen haben eine ganz glatte Rinde, während Fichten ganz rau sind. So lernten wir die Bäume schon an der Rinde unterscheiden. Wir sahen und fühlten die ersten Triebe im Frühling, wir lernten die Tiere kennen, die im Baum leben, wie Eichkätzchen, Meisen, Baumläufer, Käfer, Asseln, Ameisen. Wir verfolgten genau die Wege der Ameisen bis zu ihrem Hügel, wir lernten die verschiedenen Früchte und Samen kennen und vieles mehr. Obwohl ich die Namen noch nicht kannte und auch noch nicht ganz erkannte, warum alles geschah, wie es geschah, habe ich doch vieles beobachtet, was mir dann in der Schule geholfen hat, etwas besser zu verstehen.

»Etwas aufschnappen«

Kinder kommen im alltäglichen Leben mit vielen Dingen in Kontakt, die sie erst später ganz verstehen. Dazu gehört, wie eine Familie funktioniert, wie Mann und Frau unterschiedlich reagieren, wie man ein Gespräch führt, wie man einkauft, wie man einen Ausflug plant, wie Beziehungen gestaltet werden, wie man eigene tiefe Gefühle ausdrückt, wie unterschiedliche Menschen reagieren, wie man Streit schlichtet, wie man eine eigene Meinung durchsetzt, wie man Probleme löst, wie man einen Tag gestaltet. Kinder schnappen zuerst einmal »nur« etwas auf, wie man umgangssprachlich sagt.

Implizites Wissen

Das implizite alltägliche Wissen wird im Gehirnstamm und in den Basalganglien (limbisches System) (siehe Grundlagen des Gehirns S. 47 ff.) verarbeitet und gespeichert.[12] Kinder bringen schon einen reichen Erfahrungsschatz mit, wenn sie in die Schule kommen. Dies ist das implizite Wissen, das man unbewusst erwirbt und das erst durch weitere Erfahrungen bestätigt wird. Intrinsische Motivation baut auf diesen unbewusst erworbenen Verhaltens- und Denkweisen auf.

---

12 www.g-o.de/wissen-aktuell-11476-2010-04-07.html

Lehrer müssen erkennen, wie sie dieses implizit erworbene Wissen mit dem expliziten Wissen verknüpfen, das sie vermitteln wollen. Erst dann entwickelt sich das Gehirn weiter. Dann erst wird aus dem abstrakten und kognitiven Wissen ein praktisches, anwendbares Wissen, mit dem man echte Probleme lösen kann und das im Leben wirklich weiterhilft. Es entspricht der Natur des Menschen, Lernen mit den tiefen urmenschlichen Instinkten zu verbinden. Erst dann ist das Gelernte flexibel anwendbar. So bewahrheitet sich der Satz »Aus dem Leben für das Leben lernen«.

Die beste Art von Unterricht ist der, der an diesen impliziten Motivationen anknüpft. Davon hängt auch die Konzentration ab (siehe gerichtete Aufmerksamkeit und periphere Wahrnehmung).

Implizites und explizites Gedächtnis

Bisher haben die Gehirnforscher gedacht, implizite und explizite Informationen würden in getrennten Gehirnbereichen verarbeitet. Interessant ist nun, dass Versuchsteilnehmer, die sich, wie bei einer Studie an der Yale University 2006 (Yale University 2006)[13] festgestellt wurde, an etwas erinnern, implizite und explizite Informationen in einem einzigen Gehirnbereich, dem Hippocampus, verarbeiten. Bei der Verarbeitung von neuen Informationen durch das Lernen werden also implizites und explizites Wissen verbunden. Damit unterstützt das implizite Wissen die Erinnerung von alltäglichen Situationen. Wir lernen und erinnern

---

13 www.sciencedaily.com/releases/2006/04/060403132148.htm#

uns an Informationen, Abläufe und Erlebnisse, die wir als nützlich, angemessen und persönlich wertvoll empfinden.

Lehrer müssen lernen, das implizite Gedächtnis für das Lernen zu nutzen

Durch das Zusammenleben in der Familie haben die Kinder schon viele Muster und Bewegungen kennengelernt, die im impliziten Gedächtnis (unbewusst) gespeichert sind. Unterricht müsste an dem Wissen, das die Kinder über andere Menschen haben, darüber, wie Dinge sich bewegen, wie man mit jemandem friedlich zusammenlebt, wie man Verantwortung übernimmt, wie die Natur zusammenwirkt, was Wachstum ist, was Entwicklung bedeutet, ansetzen. Er müsste ihnen helfen, die Hypothesen, die sie haben, auszudrücken und an der Wirklichkeit zu überprüfen. Das sind ursprüngliche Erklärungen für natürliche Phänomene, wie Wind, Wasser, Bewegungen, Energie, Umwelt, Leben von Tieren, z. B. Vogelflug, neue Technologien, Computer.

Ausgehend von diesen Hypothesen verbinden wir sie mit allgemeinen Konzepten, wie Klima, Wetter, Umweltverschmutzung, Datenspeicherung.

Wir verbinden sie, wo immer es geht, mit dem Leben der Schüler.

Wir zeigen unseren Kindern und Schülern, dass sie die Informationen oder Fähigkeiten im alltäglichen Leben brauchen können.

Wir verbinden die Erfahrungen immer mit Reflexionen, zeigen den Nutzen oder den Wert in einer direkten Erfahrung, einer konkreten Anwendung oder einem Experiment.

Wir laden dazu Experten ein oder besuchen andere Lernorte.

Wir verbinden konkrete Erfahrungen mit etwas Abstraktem. Selbst wenn die Kinder und Schüler zu abstrakten Gedanken oder Prozessen fähig sind, brauchen sie immer noch konkrete Erfahrungen als Einstieg in die Abstraktionen.

Wir lassen die Schüler Techniken einüben, bei denen sie anderen etwas erklären, indem sie Metaphern, Vergleiche, Analogien verwenden, oder bei denen sie nach gemeinsamen Verbindungen durch persönliche Erfahrungen suchen.

Wir geben Kindern und Schülern die Möglichkeit, etwas durch Bewegung einzuüben. Wir lassen sie sich bewegen, gehen, sprechen, mit etwas umgehen, etwas bedienen, etwas ausprobieren, in einem Modell darstellen, künstlerisch umsetzen, nachahmen, reimen, abtippen, schreiben, entwickeln, tanzen, dramatisch umsetzen, um so viele Möglichkeiten, sich etwas zu merken, zu schaffen.

Lehrt eure Kinder, was wir unsere Kinder lehrten. Die Erde ist unsere Mutter. Was die Erde befällt, befällt auch die Söhne und Töchter der Erde. Denn das wissen wir: Die Erde gehört nicht den Menschen – der Mensch zur Erde. Alles ist miteinander verbunden wie das Blut, das eine Familie vereint.

INDIANISCHE WEISHEIT

Prinzip 9: Es gibt viele verschiedene Arten, Wissen zu ordnen und zu erinnern

Sie steht als einzige Buche am Waldrand eines Fichtenwaldes. Die Äste sind besonders ausladend, damit sie die Helligkeit am Waldrand nutzen kann. Diese langen, überhängenden Äste sind wunderbar geeignet, Seile für eine Schaukel daran zu befestigen. Unterhalb der Äste bleibt sehr viel Freiraum für weite Schwünge beim Schaukeln. Es ist einfach herrlich.

Das Seil der Schaukel schneidet sich durch die Bewegungen manchmal tief in die Rinde ein. Ich weiß aber, im nächsten Jahr sind die Wunden wieder zugewachsen. An der Rinde befinden sich mehrere Schwielen und Wachstumsfalten. In den Ritzen laufen, von außen geschützt, Horden von Ameisen. Oft verfolgte ich die langen Straßen über den Baum bis zu ihrem Bau. Natürlich gab es auch Marienkäfer, die von den Ameisen angelockt wurden. Auch kleine Vögel, wie Meisen, Rotkehlchen oder Baumläufer pickten oft am

Stamm. Auch unter der Rinde leben Asseln und Würmer mit ihren Larven und graben sich weit verzweigte Gänge. Dies wiederum ist die Nahrung von Spechten. An manchen Stämmen entdecke ich ihre Höhlen.

Netzwerke in der Natur

So ein Baum bietet viele kleine Lebensbereiche für Eichhörnchen, Marder, Vögel und Schmetterlinge. Sie alle hängen zusammen. Der Baum bietet Schutz vor Wind und Kälte oder Hitze, ist Nahrung, liefert Früchte, nimmt Schadstoffe auf, versorgt die Luft mit Sauerstoff und Feuchtigkeit, schützt den Boden vor Erosion, entnimmt dem Boden Nährstoffe und versorgt ihn damit, ist Energiequelle, liefert Baumaterial und ist Spielplatz für Kinder. Boden, Wetter, Klima, Landschaft, Pilze, Wasser, Insekten, Tiere, Menschen – alle leben vom und mit dem Baum. Je mehr wir über dieses komplexe Netzwerk wissen, desto besser können wir die Vielfalt der Pflanzen und Tiere, mit denen wir zusammenleben, schützen.

Das Gehirn ist geradezu darauf angelegt, in solche komplexen Wechselwirkungen der Natur einzudringen und sie zu verstehen. In der Evolution haben sich daher im Gehirn bestimmte neuronale Netzwerke gebildet, die Aspekte der komplexen Zusammenhänge in der Natur erfassen, erkennen und verarbeiten. Erst durch Lernen und durch aktives Ordnen durch den Lernenden werden die einzelnen Bereiche miteinander verbunden, was bedeutet, besser gemerkt.

Netzwerke im Gehirn

Durch Wahrnehmung über alle Sinne (Sehen, Hören, Riechen, Schmecken) werden zuerst die äußeren Eigenschaften des Baumes erkannt. Das sind die Farben des Baumes, Grün, Braun, oder der Blüten, Weiß, Rot, Gelb, Orange. Dann die Höhe und Größe des Baumes, das Spiel von Helligkeit und Schatten, die Form (rund bei einer Buche) und die Bewegung der Blätter im Wind, das Schaukeln der Äste oder das Schwanken des Stammes. Damit verbunden sind das Hören des Rauschens im Wind, die Geräusche, wenn etwas hinunterfällt, das Knacken und Scharren eines Tieres, das Riechen der sauerstoffreichen Luft, des Dufts von Blüten und Harz. Gleichzeitig werde ich sensibel für bestimmte Eindrücke, wie z. B. das Summen der Bienen. Dies sind zunächst unbewusst erkannte Muster, die jetzt miteinander verbunden werden und erkannt und benannt werden können. Ich erkenne, was für eine Art von Baum dies ist und welche Eigenschaften er hat. Zum Beispiel erkenne ich auch, dass sich die Äste und Blätter durch den Wind bewegen. Hierzu sind die Bereiche für Objekterkennung und die sprachlichen Bereiche im Gehirn verantwortlich. Noch während ich über den Baum nachdenke und darüber spreche, wird der Bereich für Erinnerung und Lernen aktiv, der Hippocampus. Unmittelbar damit verbunden sind die Bereiche, die im Gehirn für Emotionen zuständig sind. Ich ahne, wie schön Bäume die Landschaft formen, wie wichtig sie für das Ökosystem sind, aber auch wie gefährdet sie sind. Ich erkenne am Baum die Jahreszeiten, sehe die schönen Blüten oder erinnere mich an Spiele als Kind am Baum oder an die Apfelernte im Sommer.

Von all dieser Fülle an Eindrücken, Gedanken und Gefühlen dringen nur diejenigen ins Bewusstsein und werden gemerkt, auf die ich bewusst durch innere Entscheidungen meine Aufmerksamkeit lenke. Zum Beispiel achte ich auf die Höhe und Form der Äste, wenn ich auf den Baum klettern will, oder ich achte auf die Baumarten, wenn ich das Klima der Landschaft kennenlernen will, oder als Bauer prüfe ich die Gesundheit und den Wuchs des Baumes für die spätere Ernte. Hierzu sind neben den Bereichen im Gehirn für Entscheidungen auch das Kritik- und Urteilsvermögen und die eigene Meinung gefragt. Ein Holzfäller sieht Bäume anders als ein Förster, Biologe oder Bauer.

Menschen lernen auf allen diesen Ebenen. Je mehr dieser Bereiche zu einem neuronalen Netzwerk verbunden werden, desto stabiler, lebendiger und flexibler ist die Erinnerung. In einer anregungsreichen Umwelt werden viele solcher Gehirnbereiche aktiviert und verbunden. Durch Erfahrung wachsen Netzwerke im Gehirn ein Leben lang.

Rainer Maria Rilke hat diesen Prozess in einem Gedicht eingefangen:

Ich lebe mein Leben in wachsenden Ringen,
die sich über die Dinge ziehn.
Ich werde den letzten vielleicht nicht vollbringen,
aber versuchen will ich ihn.
RAINER MARIA RILKE

»Schätze«, die uns die Erde gibt

In der Freien Montessorischule Berlin findet ein Kurs des Sekundarstufenkurses von Claus Dieter Kaul zum Thema »Jugendliche entdecken und erforschen. Naturwissenschaften aus der Sicht der Jugendlichen« statt.

Jörg Reichwein, der Sekundarstufenlehrer, führt uns in das Thema ein:

»Die Erde‹. Das Thema ist bewusst so offen gewählt. Es soll uns auf dem ganzen Weg begleiten. Findet etwas heraus über ›Schätze, die uns die Erde gibt‹.«

Wir werden dazu aufgefordert, selbst zu untersuchen, was wir uns unter diesem Thema vorstellen. »Es geht darum, genau zu beobachten, und das, was wir sehen, auszuwerten. Das Thema ist ganz offen. Ihr könnt Proben nehmen, eine Fragestellung oder Hypothese in Gruppen ausarbeiten, Schlüsse daraus ziehen, einen Sinn darin finden. Befragt einfach die Erde und ihre Schätze.«

Nach einer kurzen Einführung in die Hintergründe zeigt uns Jörg Reichwein den Chemie- und den Physikraum der Schule. Er führt aus: »Zur Schulung an den Experimenten ist eine besonders anregungsreiche Umgebung erforderlich. Die Schüler müssen erst einmal beobachten, was passiert. Dazu müssen sie erst einmal mit dem Experiment allein gelassen werden. Wenn sie mehr wissen wollen, bekommen sie mehr. Dann entwickeln sich Fragen: Was? Warum? Die Kinder kommen dann schon mit ihren Ideen. Die Umgebung regt sie zum Entdecken an.«

Daraufhin zeigt er uns die Gestaltung des Chemieraums: Alles ist frei zugänglich und regt zum unmittelbaren Herausnehmen an. Reagenzgläser, Petrischalen und Messbecher und viele Instrumente sind nach der Größe in Fächern sortiert. Alles ist sauber gespült und aufgeräumt. Jedes Fach ist entsprechend beschriftet. Auch die Apparaturen können von den Schülern selbst zusammengebaut werden. Sie haben auch

Zugang zu Bunsenbrenner, Gaskocher, Waage, Kopierer und zu allen anderen Geräten. Auch die chemischen Substanzen stehen ihnen für Versuche zur Verfügung. An den Haken hängen weiße Kittel und Schutzbrillen.

Jörg Reichwein kommentiert dazu: »Es geht um das Tun. Während der Arbeit im Labor gibt es keine privaten Gespräche. Forschen ist etwas anderes als Schwätzen. Ich berate die Schüler, wenn sie mit konkreten Fragen kommen. Es soll hier ein Raum entstehen, eigene Gedanken zu entwickeln.«

Daraufhin finden wir uns in Gruppen zu einem Thema, das uns interessiert, zusammen, z. B. Boden, Pflanzen, Tiere; wir erkunden die Umgebung, einigen uns unterwegs auf eine Fragestellung, bringen etwas ins Labor mit und untersuchen es mit naturwissenschaftlichen Methoden. Anschließend präsentieren alle Gruppen die Ergebnisse.

Die Gruppe, bei der ich dabei bin, plant, den Boden um das Schulgebäude herum einmal genauer zu erforschen. Wir gehen einen Weg entlang in Richtung See. Schon auf dem Weg achten wir darauf, welcher Boden sich für Proben eignet. Zwei aus der Gruppe fragen in einem Schrebergarten nach, die anderen gehen in ein Waldstück, das an einem Bach gelegen ist. Dort finden wir guten Waldhumus, schlammigen Boden in der Nähe des Baches und guten Boden an einem Baum. Von allen Bodenarten nehmen wir Proben. Auf dem Weg zurück überlegen wir, was wir mit dem Boden machen können.

Im Labor testen wir dann durch Erhitzung den Boden auf seinen Feuchtigkeitsgehalt und bestimmen im Reagenzglas den Kalium- und Natriumgehalt. Als Ergänzung untersuche ich die Bestandteile des Waldhumus. Ich unterscheide zwischen Blätterteilen, Holzstücken, Wurzeln und Gras, Steinchen und Samen und Früchten, wie Eicheln. Danach befeuchte ich den Humus und alle Bestandteile und finde mit der Waage heraus, dass guter Waldhumus 22 % Wasser speichern kann. Das gewonnene Wissen ergänze ich mit einer Internetrecherche über Humus.

»Genetisches Lernen«

Hintergrund für eine solche Herangehensweise ist, was Martin Wagenschein [1980, 2010] »genetisches Lernen« genannt hat. Für Martin Wagenschein regen das Betrachten und Entdecken der Natur zum tieferen Denken und Erforschen an. Daraus entwickelt sich auch ein natürlicher Umgang mit Experimenten. Die Geräte regen die Schüler ständig dazu an, die eigenen Gedanken an der Realität zu überprüfen.

Anregung der Bildung neuronaler Netzwerke im Gehirn

Erst dadurch, dass wir wie bei naturwissenschaftlichen Experimenten mit einer solchen freien und erforschenden Art lernen, wird das Gehirn in geordneter Weise dazu angeregt, die oben erwähnten Ebenen der Verarbeitung im Gehirn zu aktivieren und zu einem komplexen neuronalen Netzwerk zu verbinden: das, was ich erkenne, was ich weiß, die Interpretation, das gefühlte Interesse, die Formulierung einer Frage, die Verbindung mit geeigneten Methoden, das Setzen eines Ziels, die Verbindung mit einem tieferen Sinn, die Arbeitstechniken beim Experiment, die Arbeitsteilung innerhalb der Gruppe, die Interpretation der Ergebnisse, die Einbettung der Ergebnisse in tiefere Zusammenhänge, die Präsentation.

Alexander von Humboldt hat den natürlichen naturwissenschaftlichen Erkenntnisweg so zusammengefasst:

Neugier – Frage/Thema – Eindrücke und Informationen sammeln – Ausstattung – losfahren, losgehen – ankommen – anschauen, beobachten, Geduld – Beobachtungen notieren – sammeln – untersuchen – sortieren – vergleichen – auflisten – Schlüsse ziehen – Verbindungen herstellen – auflisten – zuordnen – Ableitungen herstellen – neue Erkenntnis – neue Praxis.

Der Mensch, wenn er werden soll, was er sein muss, muss als Kind sein und als Kind tun, was ihn glücklich macht.

JOHANN HEINRICH PESTALOZZI

Prinzip 10: Lernen ist entwicklungsbedingt

Gerade höre ich die Jupitersinfonie von Mozart. Als ob sie etwas Zärtliches sagen wollten, erklingen die Streicher in einem luftigen Tanz. Sie werden von den Bratschen dabei unterstützt. Der beschwingte Rhythmus wird von den Celli aufgegriffen, dann von den Oboen und Fagotten bestätigt, bis sich alle Instrumente gefunden haben. Dies regt die Streicher an, das Thema weiterzuspinnen, diesmal klingen sie sehnsüchtiger, dann immer kräftiger, sie werden von den Holzbläsern unterstützt, bis wieder alle zusammenkommen und das Thema gefunden haben. Dann, im Wechsel mit den Oboen, geht es so ähnlich weiter. Es entsteht ein Echo mit den Blechbläsern, dann übernehmen wieder andere die Melodieführung, jetzt setzt wie bei einer Welle das ganze Orchester ein, als ob es die Melodie bestätigen wollte. Die Bläser erzeugen ein wehmütiges Jauchzen, dann setzen die Streicher wieder ein und antworten. Dies geht einige Male so hin und her, bis sich daraus ein neues Thema entwickelt, das sich durchsetzt. Noch ein sehnsüchtiges Nachhallen der

Streicher, dann erklingt das ganze Orchester sicher wie ein Strom.

Etwas später verändern sich plötzlich durch ein paar Akkorde der Rhythmus und die Tonart wie am Anfang zu einem leichten Tanz. Dann wieder hört man die Geiger sehnsüchtig, sie werden von den Bläsern gejagt, jetzt kommen sie wieder zusammen. Dann ein Marsch …

So wie bei einem Orchester arbeitet das Gehirn. Immer wieder entwickeln sich neue Gedanken und Erkenntnisse. Erreicht ein Eindruck die Sinne, werden dadurch die anderen Bereiche im Gehirn für Erinnerungen, tieferes Verständnis, Emotionen, Bewegungen, Pläne, Worte und Gesten angestoßen. Bei einer Veränderung, bei einem Wechsel von einem Gedanken zum anderen oder beim Lernen von etwas Neuem verändern sich alle Bereiche im Gehirn, die zu dem neuronalen Netzwerk dazugehören wie ein Orchester, das eine neue Klangfarbe annimmt. Manchmal übernehmen die emotionalen Bereiche die Führung, dann ziehen die anderen entsprechend mit. Dann wieder ist Planung wichtiger, wieder passen sich die anderen entsprechend an. Jeder Teil des neuronalen Netzwerks kann, wenn er angeregt wird, das gesamte Netzwerk aktivieren und verändern. Das Gehirn ist ein dynamisches, flexibel sich an neue Situationen anpassendes neuronales System.

Damit das Gehirn die Leichtigkeit und Beschwingtheit eines harmonisch agierenden Orchesters erreichen kann, ist es notwendig, dass Kinder von Geburt an lernen, jeden einzelnen Schritt, der dazu notwendig ist, in ein komplexes neuronales Netzwerk zu integrieren. Dabei kommt es entscheidend darauf an, wie Kinder die Reize, die sie aufnehmen, innerlich verarbeiten, das heißt mit Erinnerung, Beziehungen, Denken, Planen und Handeln verknüpfen. Dabei sind es nicht nur die Wahrnehmung, sondern auch koordinierende Fähigkeiten, die dabei eine Rolle spielen. Kinder werden durch frühe Erfahrungen geradezu geprägt.

Umweltreize sind enorm wichtig

Lernen und Entwicklung sind eng miteinander verwoben. Umwelteinflüsse entscheiden über die Dichte der Neuronen und damit darüber, wie flexibel etwas Neues im Gehirn angepasst werden kann. Umwelteindrücke beeinflussen und verändern die Ausschüttung von Neurotransmittern an den Neuronen. Umwelteinflüsse sind sogar in der Lage, Gene zu verändern.

Das Gehirn ist ständig darauf bedacht, sich an neue Reize anzupassen. Jedes Gespräch verändert das Gehirn. Es gibt auf molekularer Ebene keinen Unterschied mehr zwischen Entwicklung und Lernen. Lernen ist Leben und Leben ist Lernen. Es kommt darauf an, Kinder entsprechend ihren natürlichen Bedürfnissen zu fördern. Wir müssen den Kindern helfen, die Fülle der Reize sinnvoll zu ordnen.

Anregung, Anregung, Anregung

Kinder brauchen daher sehr viel Raum, zu entdecken und zu lernen. Das volle Potenzial der Kinder wird nur dann entfaltet, wenn in einer interessanten, emotional anregenden, spannenden, herausfordernden und immer wieder Neuigkeiten bietenden Umgebung, in der Kinder etwas selbst entdecken können, gelernt wird. Beständige, fördernde und bereichernde Erfahrungen, die auf die Entwicklungsbedürfnisse der Kinder eingehen, helfen Kindern, sich optimal zu entfalten. Dann kann Lernen sogar therapeutisch sein.

Wenn ein Kind z. B. lernt, Roller zu fahren, dann muss es erst einmal lernen, den Roller zu treten, dann, den Roller zu lenken. Dazu braucht es die richtige Orientierung im Raum. Es muss Distanzen abschätzen können. Es muss schnell reagieren können, um möglichen Hindernissen auszuweichen. Dabei empfindet es immer wieder kleine Erfolgserlebnisse. Es muss auch lernen, zu bremsen, wenn es nötig ist. Gleichzeitig muss es sich und den Roller in Balance halten, um nicht zu stürzen. Wenn die Eltern ihm das Rollerfahren zeigen, muss es bereit sein, auf das, was die Eltern sagen, zu reagieren oder auch selbst zu antworten.

Im Gehirn werden in einem neuronalen Netzwerk alle diese Informationen zu der Erfahrung »Roller fahren« verbunden. Durch Üben und Wiederholen werden die Verknüpfungen gestärkt, bis sie automatisch ablaufen.

Üben und wiederholen

Benjamin Bloom (1913–1999) war Professor für Psychologie in den USA. Er forschte und lehrte an der University of Chicago und beschäftigte sich besonders mit der Entwicklung und Reifung des Lernens. Dazu entwickelte er eine 6-stufige Taxonomie (Lernschritte) für kognitive, affektive und psychomotorische Lernziele. Sie entspricht genau der Entwicklung des Lernens im Gehirn, wie beim Lernen des Rollerfahrens.

Kognitive Ziele:

1. Wissen
2. Verstehen
3. Anwenden
4. Analysieren
5. Synthese (Zusammenfassen)
6. Evaluation (Bewerten)

Affektive Ziele (Emotionen, Werte):

1. Aufmerksamwerden, Beachten
2. Reagieren
3. Werten
4. Strukturierter Aufbau eines Wertesystems (eigener Wert)
5. Erfülltsein durch einen Wert oder eine Wertstruktur

Psychomotorische Ziele:

1. Imitation (Nachahmen)
2. Manipulation (eigenes Umgehen damit, Üben, Trainieren)
3. Präzision (Verfeinerung der Bewegungen)
4. Handlungsgliederung (größere Bewegungszusammenhänge)
5. Naturalisierung (natürlicher, flüssiger, harmonischer Bewegungsablauf)

Das Neue, das die Gehirnforschung uns zeigt, besteht in der Erkenntnis, dass beim Lernen kognitive, affektive, soziale und psychomotorische Ziele ständig miteinander verknüpft werden und quasi »ineinander« wirken.

Kognitive, emotionale, soziale und psychomotorische Fähigkeiten sind im Gehirn unauflösbar miteinander verwoben. Jede Bewegung und jeder Gedanke ist mit einem Gefühl, mit

Assoziationen, einem Ziel und einem Plan verbunden. Je sinnvoller und geordneter sie verbunden sind, desto lebendiger, eingebetteter und stabiler ist das Netzwerk.

Entsprechend stehen Lernen, Verhalten und körperliche und geistige Gesundheit während des ganzen Lebens wechselseitig im Austausch. Wenn man einen Bereich anspricht, dann werden auch die anderen Bereiche angesprochen. Emotionales Wohlbefinden und soziale Fähigkeiten bieten eine gute Grundlage für aufkommende kognitive Fähigkeiten. Zusammen gestalten sie eine gesunde Entwicklung. Nur gemeinsam machen sie den späteren Erfolg in der Schule aus.

Entwicklung in den ersten Jahren

Genauso, wie ich die Ordnung unter »Es gibt viele verschiedene Arten, Wissen zu ordnen« beschrieben habe, verläuft auch die Bildung von Ordnung während der Entwicklung eines Kindes. Während der Entwicklung organisiert sich das Gehirn in einer bestimmten Reihenfolge, von einfach (Gesundheit) bis zu komplex (höhere kognitive Verarbeitung). Eine gesunde Entwicklung in den höheren Bereichen ist abhängig von gesunder Entwicklung in den unteren Bereichen. Eine gezielte Anregung muss dieser Ordnung folgen und auf den Entwicklungsstand des Kindes eingehen. Die Entwicklung ist abhängig von der Intensität, der Häufigkeit, der Regelmäßigkeit und dem Timing der Erfahrungen. Die Folgen einer so verstandenen Erziehung und Bildung sind enorm. Kinder, die in einer stabilen, zuverlässigen, fördernden und anregungsreichen Umgebung aufwachsen, entwickeln Fähigkeiten, die die Gesundheit, das Glück, das Wohlbefin-

den, das Wachstum, die Leistungsbereitschaft und -fähig-
keit und die Kreativität steigern.

Andersherum bedeutet dies aber auch, dass Kinder, die
vernachlässigt werden oder in einer chaotischen oder bedrohlichen Umgebung aufwachsen, schwere Konsequenzen für
ihre gesamte, besonders aber ihre geistige Entwicklung hin-
nehmen müssen.

»Sensible Phasen«

Im kindlichen Gehirn bilden sich bei allem, was es lernt,
neue Synapsen aus. Man nennt dies auch »Neuroplastizität«.
Das ist die Fähigkeit des Gehirns, neue Verknüpfungen herzustellen. Es wachsen so ständig neue Verbindungen. Die
Plastizität ist in den ersten Jahren besonders hoch, bleibt aber
ein Leben lang erhalten.

Plastizität ist bei Kindern gekennzeichnet durch verschiedene »sensiblen Phasen«. Es gibt sensible Phasen für die Sinne, Bewegungen, Sprache, Musik und Emotionen. Während
der sensiblen Phasen ist das Gehirn ganz besonders empfind-
lich für äußere Einflüsse. Sie sind gleichzeitig mit neurona-
lem Wachstum in den Gehirnsystemen, die ich unter
»Grundlagen des Gehirns« (S. 47 ff.) vorgestellt habe, vom
einfachen bis zum komplexen, verbunden.

Ich möchte nun auf die Abb. 10 genauer eingehen: Im Alter bis zu 9 Monaten kann man vor allem Wachstumsschübe
im Gehirnstamm beobachten. In diesem Alter werden vor
allem körperlich-seelische Zustände, wie müde–wach oder
Gefühle wie Ängstlichkeit oder Sicherheit geregelt. Das Ziel
dieser Entwicklungsperiode ist es, ein stabiles körperliches

Die aufeinander aufbauenden Phasen der Gehirnentwicklung und des Spiels

Neokortex (Großhirn)	Abstrakte Gedanken entwickeln · Humor · Sprache · Künstlerische Ausdrucksformen · Wettspiele
Limbisches System	Gefühle und soziale Gefühle entwickeln · Gruppen · Wettbewerb · Abwechseln · Teilen
Mittelhirn/ Kleinhirn	Eine Verbindung zwischen den Sinnen und Bewegungen herstellen · Grobmotorisch · Feinmotorisch · Musik
Hirn- stamm	Körperliches und seelisches Gleichgewicht herstellen · Versteckspiel · Schmecken · Berühren

Abb. 10: Entwicklungsschritte im Gehirn und wie sie angeregt werden können. www.childtrauma.org/ctamaterials/art_of_healing.asp
© by B. Perry, www.ChildTrauma.org

Gleichgewicht herzustellen, erste Kontakte und Beziehungen zu knüpfen, zu lernen, mit Stress flexibel umzugehen, und eine gewisse geistige und körperliche Widerstandsfähigkeit zu entwickeln. In diesem Alter können Babys durch Stimulation der Sinne wie Greifen, Hören und Massieren angeregt werden. Massagen, Rhythmus oder zartes, liebevolles Streicheln tun in diesem Alter sehr gut.

Die Sprache entwickelt sich von Geburt an. Schon in den ersten Monaten erkennen Babys einzelne Laute.

Ab 6 Monaten bis zu 2 Jahren wird das Diencephalon oder Mittelhirn ausgebildet. Das Sehsystem reift aus. In dieser Phase werden die Erfahrungen aus allen Sinnen integriert und mit feinen Bewegungen im Gesicht und allen anderen Muskeln abgestimmt. Ziel ist es, alle Sinne einzubeziehen und Bewegungen zu kontrollieren. Daraus entwickeln sich immer mehr flexibel auf die Situation abgestimmte Reaktionen und ein immer stärkeres Eingehen auf den anderen. Unterstützt wird dies durch noch stärkere und komplexere rhythmische Bewegungen, durch kleine, einfache Geschichten, durch emotionale Wärme und körperliche Nähe. Bereichernd wirken auch in diesem Alter Massagen, Zärtlichkeit und der Umgang mit Tieren.

Vom ersten bis zum vierten Lebensjahr werden besonders vielfältige Emotionen, das Sprechen mit anderen und die Interpretation von nonverbalen Signalen im limbischen System ausgebildet. Das besondere Ziel dieser Entwicklungsphase ist es, Emotionen unter Kontrolle zu bringen, enge Beziehungen zu knüpfen und damit verbunden Mitgefühl, Einfühlungsvermögen und Toleranz zu zeigen. Gefördert werden diese Fähigkeiten am besten durch komplexere Bewegungen, spannende Geschichten und tiefe soziale Erfahrungen.

Ab dem zweiten bis zum dritten Lebensjahr wird vor allem der Kortex ausgebildet. Die sozial-emotionalen Bereiche werden nun mit abstrakten kognitiven Funktionen wie abstraktes Denken und Kreativität verknüpft. Dies äußert sich in differenzierten Gesprächen und aufregenden sozialen und emotionalen Erfahrungen. Unterstützt wird es unter anderem durch Geschichtenerzählen, dramatische Darstellungen und durch den Umgang mit Kunst auf allen Ebenen.

Ab dem dritten Lebensjahr ist die musikalische Lernfähigkeit am besten. In diesem Alter bilden sich im Gehirn doppelt so viele Nervenverbindungen aus wie im Gehirn eines Erwachsenen.

Wie enorm wichtig die Erfahrungen in der Kindheit sind, zeigt die Tatsache, dass mit drei Jahren das Gehirn 90 % der Größe eines Erwachsenengehirns erreicht hat. Bei vernachlässigten Kindern ist das Gehirn um 20 bis 30 % kleiner.

»Die Nervenzellen im Gehirn wachsen wie in einem Garten. Die Erfahrung, die das Kind mit seiner Umwelt macht, wirkt wie ein Gärtner. Dieser stutzt und fördert das Wachstum und die Verzweigungsmuster mit gezielten Schnitten an der richtigen Stelle zur richtigen Zeit.«[14]

Die Pubertät

Nimmt in der Kindheit die Anzahl der Neuronen und Neuronenverbindungen noch kontinuierlich zu, so erfolgt in der Pubertät, mit etwa 10 bis 12 Jahren, ein alles verändernder Einschnitt. Das Einsetzen der Pubertät ist zum Teil genetisch gesteuert, zum Teil von äußeren Einflüssen bedingt. Die ungenutzten Leitungen im Gehirn werden langsam aussortiert, die wichtigen werden erhalten, ja sogar verstärkt. Das Gehirn ist nun in der Lage, Verknüpfungen zu weiter auseinanderliegenden Gehirnbereichen herzustellen. Die Geschwindigkeit der Weiterleitung von Informationen kann bis um das Dreitausendfache steigen. Die Anzahl der Nervenzellen reduziert sich ständig, dafür feuern die Neuronen viel schneller und dann auch harmonischer. Man kann durch-

---

14 www.focus.de/wissen/wissenschaft/gehirnforschung-lebenslanger-nervenkitzel_aid_164304.
html

aus sagen, dass sich in der Pubertät das Gehirn komplett neu organisiert. Insgesamt aber setzt das Gehirn alles daran, möglichst effizient zu arbeiten. »Es wird zu einem Organ des gezielten Handelns« (Helden auf Bewährung, Spiegel 15/2010, S. 128). Darin liegen enorme Chancen für Eltern und Lehrer.

In dieser Phase des Umbaus entwickeln sich die höheren geistigen Funktionen. Der letzte Teil des Gehirns, der sich ausbildet, ist der präfrontale Kortex. Jugendliche in der Pubertät entwickeln auf höherer Ebene noch einmal neu die Fähigkeit, Probleme zu lösen, logische Schlüsse zu ziehen, Gedanken selbst zu steuern, Impulse zu unterdrücken, Konsequenzen einzuschätzen, motiviert zu handeln, moralisch zu urteilen, persönliche (Lebens-)Ziele zu setzen und echte, tiefgehende Entscheidungen zu treffen. Dies schärft zwar das Denkvermögen, beeinträchtigt aber das Erinnerungsvermögen. Die Schüler sind in dieser Situation nur in der Lage, fünf bis sieben Informationen aus einer Unterrichtsstunde zu behalten. Je reicher, je mehr eingebettet und emotional ansprechend neue Informationen sind, desto besser werden sie behalten.

Die übermäßige Produktion und Ausschüttung von Hormonen, vor allem Sexualhormonen, bewirkt, dass das Gehirn von neurochemischen Stoffen geradezu überflutet wird. Pubertierende Jugendliche sind impulsiv und unbedacht, manchmal stur. Vorsicht! Dies kann im Verhalten zu vielen Missverständnissen führen: Jugendliche können in dieser Zeit Emotionen nur sehr schwer oder falsch deuten. Sie sehen Ärger oder Ablehnung da, wo keiner ist. Das Gehirn ist in dieser Zeit ein Pulverfass für Gefühle.

In der Pubertät schlägt auch das Belohnungssystem des Gehirns stärker aus.

Dies lässt sie immer wieder nach extremen Erfahrungen suchen, wie Abenteuer und Nervenkitzel. In Gruppen tendieren die Jugendlichen dazu, größere Risiken und Herausforderungen zu suchen, die ihre Kräfte oft übersteigen. Auf der anderen Seite sind sie dann wieder lustlos und ohne Antrieb.[15]

Durch die Verletzlichkeit und Angreifbarkeit sind Jugendliche in der Pubertät vielen Gefahren ausgesetzt, dazu gehören Drogen, das Versinken in virtuellen Spiel- und Computerwelten, Waffen, Gewalt und auch sie schädigende sexuelle Erfahrungen.

Die Verhaltensbiologin Haug-Schnabel sagt aber auch: »Das Potenzial der Pubertät wird viel zu wenig genutzt. (…) Das Gehirn ist bereit zu Höchstleistungen« (Helden auf Bewährung Spiegel 15/2010, S. 130[16])

Pubertät als Chance nutzen

Die Jugendlichen suchen nach Sinn und wollen bestehende Ordnungen infrage stellen, also alles anders machen als die Eltern. Auch verfügen sie über enorme körperliche Kräfte und Ausdauer und eine überraschende Widerstandsfähigkeit gegenüber extremen (Wetter-)Bedingungen oder Schmerz und Verletzungen.

In der Pubertät wollen viele Jugendlichen endlich einmal etwas Eigenes leisten, sie wollen das Gefühl haben, nützlich

---

15 www.learn-line.nrw.de/angebote/schulberatung/main/medio/banlass/lernen/pub_2.html
16 www.spiegel.de/spiegel/print/d-69946947.html

zu sein, und selbst einmal Erfolg haben. Das Ziel, das sie anstreben, heißt *Selbstständigkeit.*

Müsste Bildung hier nicht ganz anders gestaltet sein?

Diesen extremen Gerechtigkeitssinn, die soziale Ader, den Erlebnisdrang, die Abenteuerlust, die Suche nach Verantwortung und Erfolg und die extreme Widerstandsfähigkeit und Leistungsbereitschaft der Jugendlichen in der Pubertät müssen Eltern und Lehrer nutzen.

Jugendliche brauchen einen Partner

Jugendliche in diesem Alter brauchen einen Partner, auf den sie sich ganz verlassen können, der ihnen Grenzen aufzeigt, verantwortungsvolle Aufgaben stellt, die Energie in die richtigen Bahnen lenkt und neue Möglichkeiten und Herausforderungen aufzeigt. Sie brauchen einen Menschen, der behutsam, einfühlsam und kompetent auf sie eingeht und ihre Leistungen anerkennt. Dies kann durch ein Fitness- und Ausdauertraining im Sport geschehen, bei dem sie bis an die Grenzen gehen können. Dies kann aber auch Ermutigung zu verantwortungsvoller und körperlich fordernder Arbeit sein, als Tutor für jüngere Schüler, bei der Organisation von Aktivitäten in der Schule, bei Arbeiten an der Schule oder der Unterstützung des Hausmeisters, bei sozialen Diensten in einem Altersheim oder Kindergarten. Sie müssen wissen, dass jemand dahintersteht und sie unterstützt. Sie brauchen jemanden, der an sie glaubt und sagt: »Du kannst das.«

Mein Vater ist Berufsschullehrer. Als er einmal während des Unterrichts ins Sekretariat gerufen wurde, sagte er zum größten Rebellen der Klasse: »Und du passt auf, dass hier Ruhe herrscht, bis ich wiederkomme.« Verdutzt sah er meinen Vater an. Als dieser zurückkam, herrschte absolute Ruhe in der Klasse. Verantwortungsvolle Aufgaben geben Kraft.

Das Projekt »Jugendschule« am Schlänitzsee

Um den Schwierigkeiten, aber auch den ungeheuren Chancen der Pubertät besser gerecht zu werden, hat die Montessori-Oberschule Potsdam einen ganz neuen Weg eingeschlagen (Kegler 2009).

Auf der Fahrt zum Schlänitzsee habe ich einen Storch gesehen. Wir gehen auf einem kleinen Trampelpfad über eine hohe Wiese am Waldrand vorbei bis zu einer Landspitze. Sie ist von Pappeln umsäumt. In der Nähe des Ufers Dickicht mit einer Halbinsel, dann wieder kleine Sandbänke und ein Steg. Ringsherum wildes, ungezügeltes Ufer. Aber irgendwie kultivierte Wildnis. Nirgends habe ich Abfälle oder Müll gesehen. Wir gehen über das ganze Eiland. In der Mitte der Pappelgruppe eine Lichtung. Zwischen dem hohen, trockenen Gras sehe ich frische, dunkle Erde. Ein gekonnt angelegtes Beet. Ringsherum ist das Land von Gestrüpp und trockenem Holz befreit, das säuberlich aufgeschichtet an der Seite liegt. Als Windschutz sind biegsame Weidenruten kunstvoll zu einem Wall geflochten. Die Natur hat ihn schon angenommen.
Dort an der Seite ein Bauwagen in den Weiden. Ein Pfad führt uns weiter. Die bloße Erde ist von Füßen glatt getreten. Hier sieht es aus wie in einem mitten im Wald versteckten Schrebergarten. Weiter weg ein Gewächshaus. Die Erde

ist gesiebt und mit Sand vermischt. Das Hügelbeet ist fein säuberlich in Reihen und Segmente eingeteilt. An jedem Segment findet sich ein Schild mit einem Namen: Oregano, Basilikum, Petersilie … auch unbekannte Kräuter und Gewürze.

Lernen die Kinder dabei etwas?

Was lernen sie schon beim In-der-Erde-Wühlen?

Was ist hier noch alles möglich?

Meine Gedanken überschlagen sich. Die Kinder lernen etwas über Düngung, Pflanzen, Wachstum, Tiere, Boden, Umweltschutz, ursprüngliche Natur; sie lernen, etwas zu bearbeiten, selber etwas gestalten, Entscheidungen treffen, etwas kultivieren, menschenwürdig zusammenleben, organisieren, kalkulieren, zusammenarbeiten, schwere Arbeit, durchhalten und etwas entwickeln, einteilen … genauso wie im richtigen Leben. Es ist sehr viel möglich …

Die Halbinsel am Schlänitzsee ist ein ehemaliges Erholungsgebiet von Stasi-Mitarbeitern nördlich von Potsdam. Dieser natürlich wilde Ort wird von der Montessorischule Potsdam genutzt, um eine »Jugendschule« aufzubauen. Ziel ist es, Jugendlichen in der Pubertät eine ganz andere Art, zu lernen, zu bieten, die der Entwicklungsstufe besser entspricht. So hofft man, die ungeahnten Chancen, die ich oben beschrieben habe, zu nutzen und gleichzeitig die Schwierigkeiten der Jugendlichen besser in den Griff zu bekommen.

Bisher haben die Jugendlichen in Schwerstarbeit das Gelände vermessen, es kartiert, es von Schmutz, Schutt und Abfällen gereinigt, einen Weg angelegt, eine Schutzhütte gebaut, ein Beet angelegt, Bäume gefällt, beim Besuch und Aufenthalt eigenständig die ganze Klasse versorgt. Sie sind so den ganzen Tag an der frischen Luft, auch bei Wind und Regen. Natürlich brauchen sie einen Schutz für Regen – wieder eine neue Idee. Die Ideen entstehen auf dem Weg, die Entscheidungen auch.

Hier entwickelt sich etwas, wie Lernen einmal ganz anders aussehen kann.

Die Schüler der Montessorischule Potsdam werden von Experten, einem Landwirt und einem Bootsbauer, begleitet. Sie haben auch schon selbst Kanus gebaut und sind damit gefahren. Gemeinsam entstehen viele Pläne für die Zukunft: Es soll hier ein Areal mit Obstplantagen entstehen, mit Viehzucht, einem kleinen Fischereihafen, mit einem Sägewerk und vielleicht sogar einer Wetterstation. Ideen sind auch, selbst etwas anzubauen und es zu vermarkten und zu verkaufen.

Die einzelnen Projekte sollen dann mit den einzelnen Fächern verbunden werden. So wird der Lehrplan lebendig. Ganz nebenbei lernen die Schüler die Grundrechenarten, Bruchrechnen oder wie viele Insekten im Sommer eine Blüte besuchen.

Die Projektleiter Matthias Peeters, ein Landwirt, und André Rießler, ein Bootsbauer, werden vor allem durch die vielen interessierten Fragen der Schüler angetrieben:

- Wo genau ist der Schlänitzsee?
- Wer ist oder war die Stasi?
- Wie viel Kubikmeter Schrott hat man weggeschafft, wenn man 30-mal die Schubkarre vollgeladen hat?
- Wie macht man aus Holz Sägespäne?

In den Fragen finden sich viele Themen des Lehrplans wieder:
- Deutsch: erzählen, Regeln festlegen, Geschichten, Literatur

- Englisch: Beschreiben des direkten Lebensumfelds in englischer Sprache
- Mathematik: Bruch-, Dezimal-, Prozentrechnung, Zinsrechnung, Gleichungen, Proportionalität, Funktionen, Datenerhebung

Wenn man bedenkt, dass alle diese Themen für die »Produktion für den eigenen Bedarf« und die Arbeiten in verschiedenen Bauprojekten genutzt werden, dann bekommen sie eine neue Dimension.

Das Gleiche gilt auch für:
- Biologie: Vegetation, Biotope, Nahrungsketten, Wasser, chemische Elemente, Mensch und Umwelt, Haut, Sexualität, Ernährung, Klima, Immunsystem
- Physik: physikalische Gesetze, Energie, Orientierung auf der Erde, Temperatur, Rohstoffe, Transportwege
- Geografie: große Entdecker

So wird der Lebensraum zum natürlichen Lernraum. Aus dem Leben lernen …

Kinder dürfen nicht vor dem Fernseher auf-
wachsen. Kinder müssen möglichst oft und
viel draußen spielen, in der freien Natur.
Sie brauchen Beschäftigungen, bei denen ihr
Geist wachsen und sich entwickeln kann.

MORRIS DIRIE

Prinzip 11: Lernen wird durch Herausforderungen gefördert und durch Angst und Stress verhindert

Schon über ein Jahr lebe ich in einer Mansardenwohnung in einem kleinen urbayerischen Dorf am Starnberger See. Jeden Abend erlebe ich den Sonnenuntergang über dem See. Jeden Abend ist der Sonnenuntergang anders. Der Balkon zeigt genau nach Osten. In die Balkonkästen habe ich rote Geranien, gelbe Bidens und blaue Campanula gepflanzt. Den ganzen Sommer lang sind die Pflanzen extremer Sonne, Wind und Regen ausgesetzt. Ein Balkonkasten ist von dem weit vorspringenden Dach geschützt. Unter dem Schatten spendenden Dach, sind die Pflanzen ineinandergewachsen, sodass man vor lauter Rot, Blau und Gelb die einzelnen Pflanzen nicht mehr erkennen kann. So können sie das Licht, den Raum und die Feuchtigkeit optimal nutzen und sich wunderbar entfalten.

Menschen brauchen optimale Bedingungen, um sich zu entfalten

Genauso wie die Pflanzen brauchen auch Menschen bestimmte schützende Bedingungen, damit sie lernen und sich entfalten können. Eine Familie bietet so eine schützende Umgebung. Entsprechend brauchen auch Neuronen bestimmte Bedingungen, um zu wachsen und ein Netzwerk an sinnvollen Verknüpfungen herstellen zu können.

Die Abbildung 7 (S. 60) zeigt, wie optimales Lernen durch Neugier angetrieben wird. Neugier verstärkt den Drang, etwas erkunden und entdecken zu wollen. Dies wiederum führt zu größerer Ausdauer und dazu, etwas so lange zu üben, bis man es beherrscht. Erfolg und Können führen zu Freude, innerer Zufriedenheit und größerer Zuversicht. Dies zeigt sich wieder in größerer Entdeckungslust. Das ist die Motivation, die das Gehirn braucht. Das ganze Leben ist mit spannenden Entdeckungen verbunden. Je mehr ein Kind diesen wunderbaren natürlichen Kreislauf erlebt, desto mehr entdeckt es, wie aufregend es ist, zu lernen. Leben ist Entdecken und Lernen. Sollten wir in der Schule nicht alles daransetzen, dass die Freude am Entdecken und Lernen ein Leben lang erhalten bleibt?

Die Lebenswelt der Kinder heute ist anders

Schon oft habe ich Kinder beobachtet, wenn sie aus der Schule kommen. Mit hängenden Köpfen schleichen sie scheinbar ziellos dahin. Der Schulranzen hängt schief und die Jacke baumelt irgendwo. Manchmal rennen sie plötzlich kopflos über die Straße. Wenn sie in einer Gruppe laufen, schubsen sie sich gegenseitig oder reden hinter deren Rücken über andere. Das geht so weit, dass sie anderen auflauern, sie erschrecken wollen, ja sogar bedrohen. Dabei beachten sie kaum, was um sie herum geschieht. Andere Fußgänger werden einfach überrannt. Oft sehe ich kleine Raufereien.

Niemand erwartet sie, wenn sie nach Hause kommen …

Die traurigen Fakten

Weniger als ein Drittel der Familien essen gemeinsam. Über 20 % der Kinder wachsen bei alleinerziehenden Elternteilen auf, und bei über 40 % der Familien sind beide Elternteile berufstätig (Voll- oder Teilzeit). Dies bedeutet, dass Eltern immer weniger Kontrolle über Nachmittags- und Freizeitaktivitäten und die Mediengewohnheiten ihrer Kinder haben.

In vier von zehn Kinderzimmern in Deutschland steht inzwischen ein Fernseher, die Hälfte der sechs- bis 13-jährigen Kinder besitzt ein Handy. Über 50 % der Jugendlichen besitzen einen eigenen Internetanschluss im Zimmer und über 40 % eine eigene Spielkonsole.

Durchschnittlich sehen Jugendliche am Tag zwei Stunden Fernsehen, chatten zwei Stunden und spielen etwa eine Stunde Videospiele. Kinder verbringen manchmal mehr Zeit vor dem Fernseher und am Computer als in der Schule.

Auswirkungen von Reizüberflutung auf das Gehirn

Das Problem bei zu viel Medienkonsum besteht darin, dass auf die Kinder und Jugendlichen eine schier unendliche Fülle an Fakten und Informationen einströmt, die sie nicht verarbeiten können. Wenn sie allein sind, haben sie keine Möglichkeiten, sich durch Gespräche mit anderen eine eigene Meinung darüber zu bilden, was sie da sehen oder hören. Sie werden auch nicht dazu angehalten, sich kritisch damit auseinanderzusetzen oder das, was sie sehen, zu analysieren oder zu bewerten. Kinder werden einfach mit Fakten alleingelassen, die überhaupt nichts mit ihrem Leben zu tun haben. Die Folge davon ist, dass Kinder auch das, was sie in der Schule lernen, oberflächlich wahrnehmen, ganz wie die Informationen aus dem Fernsehen. All dies hat fatale Folgen für die Entwicklung des Gehirns.

Wenn Eltern ihre Kinder nicht mehr zum Denken anregen, Lehrer den Schülern nur Fakten vermitteln und ihnen nicht helfen, die Fakten mit der Erfahrung der Kinder zu verbinden, wenn das Fernsehen von den Kindern nicht verlangt, sich mit einem Thema kritisch auseinanderzusetzen und zu differenzieren, und Videospiele bloßes Excitement ohne tieferes Nachdenken vermitteln, wer soll den Kindern dann helfen, verantwortungsvolle, logisch denkende, mitfühlend und menschlich handelnde Erwachsene zu werden?

Lehrer müssen lernen, wie man das ganze Gehirn im Unterricht anspricht, dazu gehören Kreativität, Fakten und Fertigkeiten, gesunde menschliche Beziehungen, zeitliche Grenzen und logische Abläufe. Alle diese Fähigkeiten wirken im Gehirn zusammen, also sollten sie auch in der Schule nicht künstlich getrennt werden.

Über E-Mail, Internet, Fernsehen und andere Medien werden Kinder mit über 100.000 Wörtern täglich bombardiert. Forscher von der University of San Diego sind überzeugt, dass dies enorme Effekte auf das Gehirn hat: Kinder, die der Dauerberieselung ausgesetzt sind, entfremden sich immer mehr von anderen Menschen. Auch die Aufmerksamkeit und das Interesse lassen sehr schnell nach. Sie werden immer unaufmerksamer und oberflächlicher. Sie können sich schwer in jemanden anderen hineinversetzen oder sich tiefgründige Gedanken zu einem Thema machen. Sie verbringen sehr viel Zeit vor dem Bildschirm oder beschäftigen sich mit belanglosen Informationen, sodass sie keine Zeit mehr dafür haben, sich in etwas zu vertiefen und auf andere einzugehen. Ihr »Fassungsvermögen« ist beschränkt auf Textnachrichten oder kurze Beschreibungen, die sie im Internet finden, oder kurze Nachrichten, die sie im Fernsehen, im Radio oder auf dem Handy aufschnappen.

Das Gehirn entwickelt sich aber, wie ich unter »Lernen ist entwicklungsbedingt« schon gezeigt habe, durch vielfältige Anregung und durch tiefe menschliche Erfahrungen und Erlebnisse.

Wenn das familiäre Umfeld eines Kindes chaotisch ist, Angst auslöst und es in ihm an Worten, liebevollem Zuspruch oder persönlicher Unterstützung mangelt, kann das Kind impulsiv, aggressiv und unaufmerksam werden. Zudem hat es immer mehr Probleme, gesunde enge Beziehungen zu anderen Menschen aufzubauen. Die einzige Chance für Lehrer und Eltern ist es, mit diesen Kindern wieder entwicklungsgerecht umzugehen.

Die Wirkung von Stress auf das Gehirn

Jedes Kind erlebt neue, stressvolle und herausfordernde Situationen. Ein geringes Maß an Stress bewirkt sogar eine gesunde Stressreaktion, die uns auch den Stress in neuen Situationen überwinden lässt. Gesunde, in stabilen Verhältnissen aufgewachsene Kinder entwickeln eine Widerstandfähigkeit oder Resistenz gegen Stress (»resilience«). Vernachlässigte oder gestresste Kinder bauen eine solche Widerstandsfähigkeit nicht auf. Sie sind ständig auf der Hut, sehen sich bedroht oder angegriffen und versuchen, dem zu entgehen. Dies äußert sich in ständiger Nervosität und Erregtheit. Wenn Kinder ständig eine Stressabwehrreaktion auslösen, ist der Level der Erregung des gesamten Körpers viel höher. Selbst wenn die Situation nicht bedrohlich ist, sind sie ständig in einem gewissen Kampf- oder Fluchtzustand (»fight and flight«). Wenn solche Kinder stärker herausgefordert werden, kann sich dieser Zustand leicht zu Angst oder Panik steigern. Erregte, ängstliche Kinder besitzen eine geringere Frustrationstoleranz und können so weniger leisten.

Wenn die Bedrohung, die sie (scheinbar) empfinden, immer größer wird, reagieren sie permanent mit Abwehr und Verteidigung. Das sind ursprüngliche reflexhafte Reaktionen auf einen Reiz. Sie werden vor allem in unteren (primitiven) Bereichen des Gehirns, im Hirnstamm und auch im limbischen System, erzeugt. Diese Bereiche sind darauf ausgerichtet, sich zu schützen und gesund zu bleiben. Die höheren Bereiche des Gehirns, wie der präfrontale Kortex, die auf eine tiefere Analyse der Situation und auf das Suchen nach einer Lösung ausgerichtet sind, werden nicht erreicht. Auf diese Weise wird Neugier unterdrückt und Entdeckungsdrang verhindert. Auf die Dauer wird so die Entwicklung des Gehirns massiv gestört. Neurotransmitter, die eine Stressreaktion auslösen, überfluten ständig das gesamte Gehirn und lösen Nervosität, Unaufmerksamkeit und Unkonzentriertheit aus, oft kommt es dabei auch zu aggressivem Verhalten oder zu entsprechender Verweigerungshaltung. Wenn Alkohol oder Drogen dazukommen, wird dieser Effekt gesteigert. Einfach ausgedrückt: Die Stressneurotransmitter besetzen die Rezeptoren an den Synapsen und verlangsamen Gedanken, Bewegungen und verfälschen Reaktionen.

Erfahrungen machen lassen

Die einzige Chance ist, das Kind immer und immer wieder mit Erfahrungen und Erlebnissen zu konfrontieren, die seiner Entwicklung angemessen sind. Solche Kinder brauchen Umgebungen, in denen sie sich sicher, angenommen, ihren Fähigkeiten gemäß herausgefordert und geliebt fühlen. Um solche Umgebungen zu gestalten, müssen Lehrer und Eltern wissen, wie sich das Gehirn natürlich entwickelt und welche Bedingungen diese Entwicklung fördern. Sie müssen wissen, wie frühe Erfahrungen in der Kindheit und kognitive, soziale, emotionale und körperliche Gesundheit ineinanderwirken, dann erst können sie etwas bewirken.

Vernachlässigte und ängstliche Kinder müssen wieder lernen, dass sie Bedürfnisse haben und dass diese Bedürfnisse gestillt werden müssen. Dazu ist es notwendig, dass sie diese Bedürfnisse äußern dürfen und nach Hilfe fragen können. Sie müssen wieder lernen, Gefühle auszudrücken und diese Gefühle nicht gleich mit irgendwelchen überstürzten Handlungen zu verbinden. Solche Kinder müssen lernen, dass es in Ordnung ist, ärgerlich auf jemanden zu sein, ohne dass sie gleich zuschlagen. Auch ist es notwendig für vernachlässigte Kinder, Verantwortung für ihre Handlungen zu übernehmen, echte Probleme zu lösen und eigene Entscheidungen zu treffen.

Neuronen wachsen, wenn ...

Aus der Sicht des Gehirns geht es darum, die unteren, eher auf Reiz–Reaktion ausgerichteten Bereiche mit den exekutiven Funktionen des präfrontalen Kortex (siehe S. 50 ff.) zu verbinden.

Einzelne Studien haben herausgefunden, dass Verbindungen zwischen Neuronen und einzelnen Gehirnbereichen, besonders zum präfrontalen Kortex, dann wachsen,

- wenn *eigene* Erfahrungen gemacht werden;
- wenn neue Lösungswege für Probleme *eigenständig* gefunden werden und der, der die Lösung gefunden hat, dadurch eine tiefe Einsicht oder eine Erkenntnis, ein sog. *Aha-Erlebnis* gewonnen hat. Es bedarf dazu eines radikalen inneren Wandels;
- je mehr die Person nach *neuen* Erfahrungen sucht und von anderen dazu ermutigt wird;
- wenn jemand gezielt nach etwas sucht und plötzlich durch ein *Aha-Erlebnis* etwas versteht;
- wenn eine *Belohnung* winkt;
- bei einer *überraschenden Wendung;*

186

- wenn der richtige Lösungsweg auch zum *Erfolg* führt. Bei einer Niederlage zeigt sich wenig oder keine Veränderung;
- wenn die Person wirklich *neue* Herausforderungen sucht.

Mit anderen Worten: Die Folgen von Stress werden reduziert, wenn Kinder wieder behutsam lernen, »richtig« zu denken, logische Schlüsse zu ziehen und verantwortungsvoll selbst zu handeln. Die Kinder müssen dazu neugierig nach Lösungen suchen dürfen, mehrere Möglichkeiten ausprobieren dürfen und dann eine richtige Lösung finden, die Lösung selbst überprüfen dürfen und für den Erfolg belohnt werden.

Eine lernförderliche, stressfreie Umgebung schaffen

Erst in einer Atmosphäre, in der Kinder Freundschaften eingehen können, etwas erkunden und entdecken dürfen, eigene Fragen stellen, die eigenen Ideen ausdrücken, aufmerksam auf die Ideen der anderen werden, selbst etwas ausprobieren, nach neuen Lösungen suchen können, mit anderen zusammenarbeiten, aus mehreren Möglichkeiten auswählen, eigene Entscheidungen treffen und respektvoll mit anderen umgehen (siehe »anregungsreiche Umgebung« S. 144 ff.), entfaltet sich das gesamte Potenzial des Gehirns. Kinder, die unter solchen Bedingungen lernen, können mit Stress viel besser umgehen. Kinder werden so zu freundlichen, nachdenklichen und produktiven Menschen.

Lehrer können viel zur Schaffung einer solchen lernförderlichen Atmosphäre beitragen:

- Sie fördern, dass Kinder Freundschaften schließen dürfen.
- Sie verbinden Freundschaften mit dem Lernen.
- Sie stellen Kindern neue Herausforderungen.
- Sie geben ihnen die Möglichkeit, etwas genauer zu entdecken und zu erkunden.
- Sie lassen die Kinder eigene Fragen stellen.
- Sie geben den Kindern Raum, eine eigene Frage genauer zu erforschen.
- Sie lassen die Kinder eigene Lösungswege erkunden und sich dann für einen Lösungsweg entscheiden.
- Sie besprechen mit den Kindern anfallende Probleme auf dem Weg zur Lösung.

Prinzip 12: Jedes Gehirn ist einzigartig

In fast jedem Zimmer zu Hause liegt ein echter Orientteppich. Die Namen der Herkunftsorte in Persien, Afghanistan und im Irak, wie Saruk, Mood, Kashan, Ghom, Isfahan, Täbriz, sind mir seit Kindheit geläufig. Meine Eltern und ich lieben die natürlichen Farben und die feinen, so fantasievollen Muster und Ornamente. Meine Mutter liebt die Teppiche so sehr, dass sie oft mit der Hand über die feine, weiche Korkwolle streicht und den seidigen Glanz in Rosé, Dunkelrot, Orange, Lindgrün oder Natur bewundert. Ihre Leidenschaft für Teppiche geht so weit, dass sie nachts sogar von einem schönen Teppich träumt.

In einem kleinen Teppichgeschäft in Sankt Mang bei Kempten hat sie wieder eine Rarität entdeckt. Der Besitzer des Geschäfts ist Perser und heißt Abdul Gafur Rhona. Mit der ganzen Familie sehen wir uns den schönen Bidjar an. Während meine Eltern verhandeln, darf ich, damals vier Jahre alt, überall auf den Teppichen mit den schönen Mustern umherkrabbeln. Dabei höre ich interessiert dem Gespräch zu. Abdul Gafur Rhona erzählt: »In meiner Heimat in Persien gibt es viele Familien, die Teppiche knüpfen. Die Namen der Teppiche zeigen immer die Orte an, aus denen sie stammen. Wenn ich die Teppiche kaufe, dann besuche ich die Familien in den entlegensten Orten in Persien. Jeder Familienclan hat seine eigene Tradition. Schon wenn ich die typischen Farben und Muster der Teppiche sehe, erkenne ich, von welcher Familie er stammt. Sie sind meistens sehr arm. Diese Menschen leben nur vom Teppichknüpfen.« Ich stellte mir dann die einfachen Bergdörfer in Afghanistan vor und wie die Familien leben und welche schönen Muster und Teppiche sie knüpfen. Durch dieses Gespräch erhielten wir einen ganz anderen Zugang zu diesem sonst so fremden Land.

So wie die einzelnen afghanischen oder persischen Familien, obwohl sie im selben Land leben, jede für sich unterschiedliche einzigartige Muster und Farben der Teppiche entwickelt haben, so hat jeder Mensch durch viele individuelle Lernprozesse eigene individuelle Verbindungen im Gehirn gebildet. Jedes Gehirn ist einzigartig.

Dies zeigt sich in den Unterschieden, wie wir lernen, wie wir beobachten, auf welche Details wir achten, wie schnell wir reagieren, wie lange die Aufmerksamkeit anhält, wie einfühlsam wir auf andere Menschen eingehen, wie gut und richtig wir Muster erkennen, wie viel Verantwortung wir übernehmen, wie konzentriert wir arbeiten, wie gut wir die Arbeit organisieren, welche Hilfsmittel wir einsetzen, wie wir mit Problemen umgehen, wie wir Assoziationen herstellen, wo wir Schwerpunkte setzen, welche Ziele wir haben, wie wir mit Stress umgehen, wie vielfältig wir interessiert sind, wie wir Gelerntes erklären und dokumentieren, wie kreativ wir sind, und vieles mehr.

Jeder entwickelt auf diese Weise einen bestimmten Lern- und Denkstil. Manche denken eher in großen Zusammenhängen, manche denken analytisch, manche praktisch, mathematisch, manche denken sozial, intuitiv, emotional, integrierend oder zusammenfassend, manche planen gern, manche ordnen die Gedanken besser, manche erinnern sich besonders an Gesichter von Menschen, manche haben ein besonderes Gedächtnis für Farben.

Einzigartigkeit aus der Sicht des Gehirns

Wir werden mit einem ganzen Satz an Neuronen geboren. Die Verbindungen zwischen den einzelnen Neuronen werden zum großen Teil durch Lernprozesse hergestellt. Reize von außen in Form von elektrischen Strömen aus allen sensorischen Zellen regen Muster neuronaler Impulse an. Diese Impulse können die Stärke einzelner Zellen, Verbindungen herzustellen, verändern. Während das allgemeine Programm, das bestimmt, welches Neuron mit welchem verbunden wird, genetisch bestimmt ist, sind es die Anregungen aus der Umwelt, die ausschlaggebend dafür sind, welche Verbindungen zwischen den Netzwerken entstehen. Um mit den unterschiedlichen Erfahrungen fertig zu werden, verschaltet und vernetzt sich das Gehirn ständig neu. Dies gilt vor allem für kleine Kinder (siehe »Lernen ist entwicklungsbedingt«), die mit einem ganzen Satz an Neuronen, aber nur mit wenigen

Verbindungen geboren werden. So müssen sie in den ersten Jahren eine Fülle an Netzwerkverknüpfungen lernen. Auch wird die Menge an bestimmten Neurotransmittern, die für die Regulation von Emotionen verantwortlich sind, durch frühe Erfahrungen bestimmt.

Die Tatsache, dass sich das Gehirn quasi im Flug verändern kann, bewirkt, dass das Gehirn verblüffend robust gegenüber Störungen, Krankheiten oder »Schaltfehlern« ist. Wenn ein Neuron stirbt, macht das Gehirn automatisch eine Phase der Umorganisation durch, in der neue Verbindungen entstehen, um den Verlust auszugleichen. Genau das ist der Grund für die enorme Vielfalt im Charakter und Verhalten von Menschen. Intelligenz ist zum Teil genetisch, zum großen Teil jedoch durch Erfahrung bedingt. Sie ist es, die letztendlich die Art und Effektivität von neuronalen Netzwerken beeinflusst.

Konsequenzen für Lehrer

Die Montessorimethode orientiert sich genau an den unmittelbaren Bedürfnissen, Neigungen und Begabungen des einzelnen Kindes. Hier werden auch die unterschiedlichen Lernstile optimal berücksichtigt.

Bei einer Hospitation in der Montessorischule Rohrdorf beobachtete ich in der Jahrgangsstufe 4–6 Folgendes:

In der Freiarbeitsstunde geht die Geschäftigkeit nach der Pause schnell in Arbeitsruhe über. Jeder wählt frei eine Aufgabe aus, dabei dürfen die Schüler selbst wählen, ob sie alleine oder zusammen arbeiten und welche Materialien sie dazu benötigen. Auch die Zeit, die sie dafür benötigen, können die Schüler selbst bestimmen. Sie dürfen sich dazu frei im Klassenzimmer bewegen, einander Fragen stellen oder Rat von der Lehrerin einholen. Dafür haben sie bestimmte Zeichen ausgemacht. Sie verhalten sich so, dass sie andere möglichst nicht stören. Manche lernen Englischwörter, einige spielen ein Lernspiel, machen Hausaufgaben, recherchieren für ein Referat, gehen mit dem Kassettenrekorder nach draußen und lernen mit einem Lernprogramm in Englisch, zwei studieren im Freien ein Referat über die Dörfer der Umgebung ein.

Im Internet fand ich diese wunderbare Erklärung dafür:

»Das Montessori-Klassenzimmer ist ein Erlebnis- und Begegnungsraum, der das Kind einlädt, – in größtmöglicher Freiheit und Sicherheit – zu entdecken: sich selbst, andere Menschen (große und kleine), sowie – vermittelt durch die Lehrerinnen und die Klassenregeln – ihre Umwelt, die Gesellschaft, in der sie leben, und die Regeln, die unseren Umgang miteinander gestalten.

Im Montessori-Klassenzimmer werden der individuelle Entwicklungstand und Lernstil eines jeden Kindes respektiert und wird auf das Entwicklungspotenzial der Kinder vertraut.

Dem Kind wird größtmöglicher Freiraum in der Bewegung, in der Wahl der Beschäftigung, und bei der Stellung und Meisterung einer Aufgabe gestattet. Die Materialien sind nach Möglichkeit so aufgebaut, dass sie selbst und direkt das Kind auf seine Fehler aufmerksam machen. Hilfe wird angeboten, nicht aufgedrängt.

Es gibt – dem Entwicklungsstand der Kinder entsprechend – keine Trennung von Arbeit und Spiel. Kinder lernen im Spiel. Das Spiel des Kindes ist seine Arbeit und Aufgabe. Daher sollte jede »Aufgabe« spielerisch sein und das Spiel bedeutungsvoll.

All unser Lernen – und somit unser Wissen und Können – beruht auf Erfahrung.

Durch seine Erfahrung erwirbt das Kind nicht nur Wissen, Kenntnisse und Fertigkeiten sondern entwickelt gleichzeitig die Fähigkeit, Wissen

Wir brauchen deshalb eine Schule, die den Schülern optimalen Raum gibt, ihre ganz persönlichen Fähigkeiten, Vorlieben, sensiblen Phasen, Lernstile und Lerntechniken nach ihrem Wissenstand zu entfalten, und sie in ihrem persönlichem Tempo und Zeitplan lernen lässt.

Die Aufgabe von Eltern und Lehrern ist es, Kinder zu motivieren und in dieser Freiheit zu unterstützen.

Ebenso Erzieherin in Kitas? Wir haben Ende der 60-er Jahre schon in Ben.-Rath durchgesetzt, daß Vorschulkinder ... diese ... in der Kita.? Kita-Erzieh... erhielten im Land Berlin für die Tätigkeit mit Vorschulkindern eine zusätzliche Ausbildung. Wie geht spielerisch lernen in dem Jahr vor der Einschulung, das war der Sinn

194

Folge dem Fluss und finde das Meer.

AUS SANSIBAR

Kinder lernen anders

Ganzheitliches Lernen

Die American Montessori Society (AMS) hat in einem Positionspapier[17] aus den unterschiedlichsten Ergebnissen der Hirnforschung die Merkmale herausgefunden, an denen man natürliches, gehirngemäßes Lernen erkennt:

- Das menschliche Gehirn lernt am besten, wenn es aus mehreren Möglichkeiten entscheiden muss, wenn es Probleme löst, wenn es Fragen stellt und neue Muster entdecken kann. Es lernt nicht, wenn es isolierte Fakten auswendig lernen muss. Informationen werden nur dann gelernt und auch angewendet, wenn neue Informationen ständig in ein Netzwerk von bekannten, schon erworbenen, überkommenen, alltäglichen Erfahrungen eingebaut werden.
- Die Anpassung von neuen Informationen geschieht am besten in herausfordernden, komplexen, interaktiven Er-

---

17 learningandassessment.pdf

195

lebnissen. Dies ist dann erfolgreich, wenn neue Informationen sinnvoll und relevant sind und wenn sie von der Person als sinnvoll und nützlich erkannt werden. Wenn eine Person die Informationen nicht logisch in einen sinnvollen Kontext einbetten kann oder den tieferen Sinn nicht erkennt, dann werden sie zu einem oberflächlichen Wissen, das nur eine kurze Zeit behalten wird, aber nicht in den festen Wissensschatz der Person aufgenommen wird.

- Indem man neuen Erfahrungen begegnet, sie hinterfragt, analysiert und sie in bestehende Netzwerke aufnimmt, ändert sich die Struktur des Gehirns des Menschen. Neue, noch nie dagewesene Verbindungen werden geknüpft. Parallel dazu verändert sich der individuelle Lernstil jedes Einzelnen, was bedeutet, dass die Art und Weise, wie die Person Sinn konstruiert, Ideen miteinander verbindet und lernt, bei jeder Person anders ist. Über die Jahre hinweg entwickelt so jedes Kind einen einzigartigen persönlichen Lernstil, der sich von allen anderen unterscheidet.

- Damit hängt zusammen, dass Kinder auf verschiedene Weise »intelligent« sein können. Damit ist mehr gemeint als nur sprachliche oder mathematische Intelligenz.

- Der Neokortex, der Teil des Gehirns, in dem Informationen verarbeitet und langfristig gespeichert werden, arbeitet am besten in einer entspannten, aber herausfordernden Umgebung. In stressvollen oder bedrohlichen Situationen, »schaltet« das Gehirn wortwörtlich »ab« und hört auf, zu arbeiten. In solchen Situationen findet eine Person kaum Zugang zu schon vorhandenem Wissen oder fällt auf die Ebene einfacher, unbedachter Antworten zurück, die keine Kreativität zeigen und keine Auskunft darüber geben, was die Person eigentlich weiß.

Freie Montessori-Schule in Köpenick/Berlin

Im Rahmen des Sekundarstufenkurses von Claus Dieter Kaul besuchten wir auch die Freie Montessori-Schule Köpenick/Berlin. Der Unterricht dort hat den Charakter, wie ich ihn unter »Prinzip 9: Es gibt viele verschiedene Arten, Wissen zu ordnen und zu erinnern« (S. 154 ff.) beschrieben habe.

Während ich einmal allein durch die Gänge und Räume dieser Schule ging, hatte ich eine Vision:

Die riesigen Gänge mit gedämpftem Licht sind keine endlosen, langweiligen, dunklen Korridore – alles lebt hier. Die langen dunklen Fluchten sind immer wieder von Fenstern durchbrochen, die angenehmes Licht hereinlassen. An den Wänden stehen in angemessenem Abstand Arbeitstische für die Einzelarbeit. So entstehen viele kleine, Ruhe bietende individuelle Arbeitsplätze. In manchen Gängen ist der Platz für Computerarbeitsplätze mit Stehpulten sinnvoll genutzt. Die Gänge dienen Schülern und Lehrern zudem als wertvolle Aufbewahrungsorte für Anschauungs- und Arbeitsmaterialien. Hier sind Theaterkulissen, Stellwände, Pinnwände, Rahmen, Holzlatten, großformatige Bilder und Karten an die Wand gelehnt, nicht wie in einem Lager, eher wie im Atelier eines Künstlers. Alles lädt dazu ein, unmittelbar gebraucht zu werden.

Die Wände sind in einem warmen Gelb gehalten. Immer wieder bleibt viel Platz zur Ausstellung von interessanten Plakaten, Kunstwerken und Dokumentationen der Schüler. Sogar die Türen der Gruppenräume bieten eine Ausstellungsfläche. Alles ist ausgewogen proportioniert. Dazwischen bleibt noch genug Platz zum Schlendern und Betrachten. So entsteht eine »malerische Unordnung«.

Eine ähnliche Atmosphäre strahlen die Gruppenräume dieser Schule aus. Für die Oberstufe wurde das Dach extra ausgebaut. Durch die integrierten Dachgauben und Balken entstehen viele kleine Winkel und Nischen für alle Arten von individuellem Arbeiten, für Gruppenarbeiten, zum Besprechen oder kleine Ruheinseln. Auch eine gut ausgestattete Teeküche ist in die Ecke eingebaut. In der Mitte gibt es, durch einen kreisrunden Teppich begrenzt, viel Raum für gemeinsame Aktivitäten, Kurse, Besprechungen und den wichtigen Morgenkreis.

Der Platz in den Zwischenräumen ist durch viele Regale und Dokumentations- und Arbeitstische, die alle flexibel eingesetzt werden können, gut ausgenutzt. Dazwischen bleibt aber immer noch genug Freiraum zur eigenen Gestaltung, für handwerkliches Tun und das Entwerfen von Modellen. Ich erkenne sogar ein kleines Labor. Das Ganze hat den Charakter eines modernen Jugendzimmers oder eines an ein Büro erinnernden Arbeitsateliers. Die stickige Anonymität einer Schule geht ganz verloren. Alles ist mit Bedacht darauf ausgerichtet, dass Schüler zum Lernen angeregt werden und sich ganz auf die Arbeit konzentrieren können.

Dies zeigt sich auch in der Vielfalt und Aktualität der Materialien in den Regalen. Hier finden sich Bücher, Schulbücher, Lexika, (Spezial-)Zeitschriften, aktuelle Themenhefte, Lernspiele, Montessorimaterialien, ein Experimentierkasten, ein echtes Vogelnest, ausgestopfte Vögel, ein menschliches Skelett, ein Globus, Schaudiagramme, Rechenschieber, Poster, Landkarten, Reliefkarten, ein selbst gebautes Modell und vieles mehr. Es bleibt dabei immer noch Raum, den Gruppenraum passend zum Thema umzugestalten.

Alles ist darauf ausgerichtet, dass die Schüler neugierig werden, sich etwas selbst zu erarbeiten, sich etwas besser vorzustellen, etwas tiefer zu verstehen und es selbst auszuprobieren.

Alle Materialien sind sinnvoll nach den thematischen Bereichen einer Montessorischule geordnet und für jedermann zugänglich: Sinnesmaterial, Mathematikmaterial, Sprache, kosmische Erziehung, Übungen des täglichen Lebens, Experimentier- und Kreativmaterial. Zusätzlich können die Schüler die Bibliothek, Werkstätten oder die einzelnen Experimentierräume (Physik, Chemie, Biologie) nutzen. Die eigenen Studien werden durch Kurse, und, je nach Notwendigkeit, thematische Vertiefungen durch den Lehrer, Projekte mit der ganzen Gruppe, den Besuch von außerschulischen Lernorten und einer Jugendschule und Werkstätten, die von Experten geleitet werden, ergänzt.

Die Räume und die ansprechenden Materialien fordern die Kinder dazu auf, die Welt zu erforschen, die sie umgibt. Wie echte Forscher können sie sich hier selbst Themen erschließen.

Sie können die passenden Quellen dazu suchen und finden, sich um Hilfe bemühen, Inhalte mit ihren eigenen Gedanken verbinden, ein tiefes Verständnis gewinnen. Sie können daran arbeiten, etwas zu veranschaulichen, etwas zu wiederholen und zu üben, kreativ einen Gedanken weiterzuentwickeln, ein Modell, Diagramme, Zeichnungen, Skizzen, Karten zu erstellen, eigene Projekte zu planen und durchzuführen, zu experimentieren, etwas künstlerisch umzusetzen, sich gezielt auf eine Prüfung oder einen Abschluss vorzubereiten oder die Ergebnisse lebendig zu präsentieren. Dabei dürfen sie frei entscheiden, wo, wie lange und mit wem sie arbeiten wollen. Der Lehrer unterstützt sie in dem Moment, wenn sie ihn gerade brauchen.

Durch die freien, selbstständigen, dem Thema und der Aufgabe angepassten Entscheidungen werden alle Phasen des Lernprozesses, wie ich sie in den zwölf Prinzipien näher beschrieben habe, Schritt für Schritt miteinander verbunden: etwas mit allen Sinnen wahrnehmen, Muster erkennen, mit Gefühlen und Werten verbinden, Nervosität überwinden, mit Stress und Angst umgehen, eigene Ideen, Gedanken und Fragen entwickeln, Abstraktes mit konkreten Beispielen verbinden, sich ein Ziel setzen, einen Plan mit entsprechenden Arbeitstechniken und einem Zeitplan entwickeln, den Plan umsetzen, sich Herausforderungen stellen, Risiken eingehen, Probleme auf dem Weg lösen, miteinander umgehen und in der Gruppe lernen, sich zu verständigen, sich in der Gruppe durchsetzen, etwas verwirklichen, eine Lösung für ein Problem finden, eigenen Ideen verwirklichen, Neues wagen, kreativ sein, etwas Eigenes entwickeln.

Dem Lehrer kommt hierbei die Aufgabe zu, darauf zu achten, dass der Lernprozess bei jedem einzelnen Schüler geordnet und erfolgreich verläuft. Dazu muss er jeden einzelnen Schüler genau kennen, seinen Lernrhythmus, seinen Entwicklungsstand und die individuelle Leistungsbereitschaft. Entsprechend interveniert er.

Einmal muss er motivieren, dann einen anderen ermahnen; er muss zur Teamarbeit ermuntern, zum intensiveren Üben auffordern, einem anderen helfen, sich besser einzugliedern, einen Schüler dabei unterstützen, das richtige Material auszusuchen, ein neues Material vorzuschlagen, mit einer Quelle richtig umzugehen, eine Schüler auffordern, einem anderen Schüler etwas zu erklären, über das, was er herausgefunden hat, zu sprechen, auffordern, einen Text richtig zusammenzufassen, eine richtige Arbeitsmethode zu finden, etwas zu veranschaulichen. Er muss darauf achten, dass die Schüler richtig arbeiten lernen. Dazu muss er den Lernrhythmus und die Lernentwicklung jedes einzelnen Schülers beobachten und die Lernfortschritte festhalten.

Maria Montessori hat die Aufgabe des Lehrers in einem Satz zusammengefasst: »Hilf mir, es selbst zu tun.«

Die Betonung liegt auf »Hilf mir«. Es geht nicht darum, das Kind zu lassen und zu warten, bis es etwas zeigt, sondern das Kind in dem zu unterstützen, was es im Moment braucht. Damit verbunden ist, ihm zu helfen, seinen jeweiligen Standort zu bestimmen, also wo sich das Kind gerade befindet, ihm zu helfen, sich weiterzuentwickeln, und es ihm, als Vorbild und Mensch, vorzuleben. Er muss dem Kind helfen, das, was es lernt, aus dem Leben zu nehmen und es im Leben umzusetzen.

201

Literatur

Alink, Arjen; Schwiedrzik, Caspar M.; Kohler, Axel; Singer, Wolf und Muckli, Lars: Stimulus Predictability Reduces Responses in Primary Visual Cortex. *The Journal of Neuroscience* 2010; 30: 2960–2966

Arnold, Margret (2006): Brain-based Learning and Teaching – Prinzipien und Elemente. In: Herrmann, Ulrich (Hrsg.): *Neurodidaktik. Grundlagen und Vorschläge für gehirngerechtes Lehren und Lernen.* Weinheim: Beltz, S. 145–158

Arnold, Margret (2002): *Aspekte einer modernen Neurodidaktik. Emotionen und Kognitionen im Lernprozess.* München: Ernst Vögel

Barratier, C.; Mallet, Y.; Perrin, J. (Produzenten) und Nuridsany, C.; Perennou, M. (Direktoren) (1996): *Microcosmos* (motion picture). Burbank, CA: Miramax Films

Bauer, Joachim (2005): *Warum ich fühle, was du fühlst. Intuitive Kommunikation und das Geheimnis der Spiegelneurone.* Hamburg: Hoffmann & Campe

Buccino, G.; Riggio, L.; Melli, G.; Binkofski, F.; Gallese, V.; Rizzolatti, G. (2005): Listening to action-related sentences modulates the activity of the motor system: A combined TMS and behavioral study. *Cognitive Brain Research 24* (2005), 355–363

Caine, Renate; Caine, Geoffrey; Klimek, Karl; McClintic, Carol (2005): *12 Brain/Mind Learning Principles in Action. The Fieldbook for Making Connections, Teaching and the Human Brain.* Thousand Oaks, California: Corwin Press

Caine, Renate; Caine, Geoffrey (1997): *Education on the Edge of Possibility.* Alexandria VA: ASCD

Chen, L. Y.; Rex, C. S.; Sanaiha, Y.; Lynch, G.; Gall, C. M. (2010): Learning induces neurotrophin signaling at hippocampal synapses. *Proc Natl Acad Sci USA.* 2010 Apr 13; 107(15): 7030–5

Copei, Friedrich (1930): Der fruchtbare Moment im Bildungsprozess. Heidelberg

Costa, A. and Kallick, B. (2004): Assessment Strategies for Self-Directed Learning. Thousands Oaks, California: Corwin Press

Damasio, António R. (1995): *Descartes' Irrtum*. München: List

Damasio, António. R. (2000): *Ich fühle, also bin ich. Die Entschlüsselung des Bewusstseins*. München: List

Diamond, Marian & Hopson, Janet (1998): *Magic Trees of the Mind: How to Nurture Your Child's Intelligence, Creativity, and Healthy Emotions from Birth to Adolescence*. New York: Penguin Putnam

Dickinson, Emily (1960): *The Complete Poems of Emily Dickinson*. New York: Little, Brown and Company

Fuster, Joaquin (2003): *Cortex and Mind: Unifying Cognition*. New York: OUP

Gläscher, J.; Rudrauf, D.; Colom, E.; Paul, L. K.; Tranel, D.; Damasio, H.; Adolphs, R. (2010): Distributed neural system for general intelligence revealed by lesion mapping. In: *Proceedings of the National Academy of Sciences, 107*, 10, S. 4705–4709. Auf Deutsch unter: www.spiegel.de/wissenschaft/medizin/0,1518,679563,00.html

Goldberg, Elkhonon (2002): *Die Regie im Gehirn. Wo wir Pläne schmieden und Entscheidungen treffen*. Kirchzarten: VAK

Guan, J.-S.; Haggarty, S. J.; Giacometti, E.; Dannenberg, J.-H.; Joseph, N.; Gao, J.; Nieland, T. J. F.; Zhou, Y.; Wang, X.; Mazitschek, R.; Bradner, J. E.; DePinho, R. A.; Jaenisch, R., Tsai, L.-H. (2009): HDAC2 negatively regulates memory formation and synaptic plasticity. *Nature, 459*: 55–60

Kandel, E.; Schwarz, J.; Jessel, T. (Hrsg.) (1995): *Neurowissenschaften. Eine Einführung*. Heidelberg: Spektrum Akademischer Verlag

Kegler, Ulrike (2009): *In Zukunft lernen wir anders – Wenn die Schule schön wird*. Weinheim: Beltz

Leland, John: Coming Full Circle. *NY Times* 02.11.2008

Long, John: *Montessori on the Brain*. www.postoakschool.org/postoak/Montessori_on_the_Brain.asp

Miller, Earl K.; Cohen, Jonathan D. (2002): An integrative theory of prefrontal cortex function. In: *Annual Review in Neuroscience 24*, S. 167–202

Miranda, L.; Arthur, A.; Milan, T.; Mahoney, O.; Perry, B. D. (1998): The art of healing: The Healing Arts Project, Early Childhood Connections. In: *Journal of Music- and Movement-Based Learning 4*, H. 4, S. 35–40

Montessori, Maria (2010): *Kinder sind anders*. Stuttgart: Klett-Cotta

Montessori, Maria (2005): *Grundlagen meiner Pädagogik. Und weitere Aufsätze zur Anthropologie und Didaktik*. Wiebelsheim: Quelle & Meyer

Montessori, Maria (2007): *Das kreative Kind. Der absorbierende Geist*. Freiburg: Herder

Moore, Greg: *On Montessori, Mice and Brain Development*. May 22, 2009. www.lexmontessori.org/commoninc/pushpage/268/default.asp?send_id=&volume_id=35529&user_id=&mode=preview&print=1

Perry, Bruce (2006): Applying Principles of Neurodevelopment to Clinical Work with Maltreated and Traumatized Children. In: Boyd Webb, N. (Hrsg.): *Working with Traumatized Youth*. New York: The Guilford Press, S. 27–52

Perry, Bruce: *Curiosity. The Fuel of Development*. www.Scholastic.com

Perry, Bruce (2000): *Brain Structure and Function I. Basics of Organization*. www.childtrauma.org/ctamaterials/brain_I.asp

Perry, Bruce (2002a): *Brain Structure and Function II*. www.childtrauma. org/CTAMATERIALS/brain2_inter_02.pdf

Perry, Bruce (2002b): *Keep the Cool in School. Promoting Non-Violent Behavior in Children*. www2.scholastic.com/

Perry, Bruce; Hogan, L.; Marlin S. (2000): *Curiosity, Pleasure and Play. A Neurodevelopmental Perspective*. www.childtrauma.org/ctamaterials/Curiosity.asp

Perry, Bruce: *Attunement: Reading the Rhythms of the Child*. www2.scholastic.com/browse/article.jsp?id=4034

Resnick, Lauren (1990): Instruction and the cultivation of thinking. In: Entwistle, N. (Hrsg.): *Handbook of Educational Ideas and Practices*. London: Routledge, S. 694–707

Rilke, Rainer Maria (1962): *Das Stunden Buch*. Enthält die drei Bücher: Vom Mönchischen Leben, Von der Pilgerschaft, Von der Armut und vom Tode. Berlin: Suhrkamp/Insel

Rizzolatti, G.; Craighero, L. (2004): The Mirror-Neuron System. *Annual Review in the Neurosciences*. 27, 169–192

Roth, Gerhard (2009): *Persönlichkeit, Entscheidung und Verhalten*. Stuttgart: Klett-Cotta

Siegel, Daniel J. (2006): *Wie wir werden, die wir sind. Neurobiologische Grundlagen subjektiven Erlebens und die Entwicklung des Menschen in Beziehungen*. Paderborn: Junfermann

Society for Neuroscience. Core Concepts: *The Essential Principles of Neuroscience*. www.sfn.org/index.cfm?pagename=core_concepts&section=publications

Wagenschein, Martin (1980): *Naturphänomene sehen und verstehen. Genetische Lehrgänge*. Stuttgart: Ernst Klett

Wagenschein, Martin (2010): *Verstehen lehren*. Weinheim: Beltz

Yale University (2006, April 4). *Conscious And Unconscious Memory Linked In Storing New Information*. ScienceDaily. Retrieved July 29, 2010, from www.sciencedaily.com/releases/2006/04/060403132148.htm